Susie Morgenstern

La classe pipelette

Illustrations d'Iris de Moüy

Mouche
l'école des loisirs

11, rue de Sèvres, Paris 6e

Du même auteur à *l'école des loisirs*

Collection MOUCHE

Même les princesses doivent aller à l'école
Un jour mon prince grattera
Sa Majesté la Maîtresse
Le fiancé de la maîtresse
Joker
Halloween Crapaudine
La liste des fournitures
L'autographe
Les fées du camping
Le bonheur est coincé dans la tête
Tu veux être ma copine ?
Supermoyen
Calisson
Princesse Atchoum

Collection CHUT !

Joker lu par Anne Montaron

© 2014, *l'école des loisirs, Paris*
Loi n° 49.956 du 16 juillet 1949 sur les publications
destinées à la jeunesse : septembre 2014
Dépôt légal : décembre 2014
Imprimé en France par l'imprimerie Pollina - L70710

ISBN 978-2-211-21537-4

*Pour Catherine, Élisabeth
et toutes les maîtresses actuelles
(et pour Noam !)*

Problème

Catherine se réveille dans l'angoisse. Elle appréhende cette nouvelle journée avec sa classe bavarde. Ils parlent, ils parlent, ils parlent sans arrêt, dans un bourdonnement perpétuel.

Elle aimerait rester couchée au creux de ce lit fait sur mesure pour contenir ses deux mètres de taille, presque trois quand elle s'étire.

Elle se lève pourtant, prenant soin de ne pas réveiller son mari qui aujourd'hui travaille tard.

Elle commence à se préparer. Préparation psychologique, surtout. Il va lui falloir faire face à ce que tout être humain doit affronter au moins cinq ou six fois par semaine avec courage : une journée ordinaire.

Elle aimerait que se réveille avec elle, ce matin, l'ambition professionnelle qu'elle avait autrefois : être le genre de maîtresse qui compte dans la vie de ses élèves.

Elle n'en est pas à sa première classe, et il lui faut faire un effort pour se rappeler ce qu'elle a appris au cours de sa formation d'enseignante.

Par bribes, les instructions lui reviennent :

1. Dans ta classe, tu es le patron ! Si tu n'as pas confiance en toi, si tu laisses apercevoir que tu as la moindre peur, que tu n'as pas le contrôle total, les élèves exploiteront tes faiblesses.

2. Il faut quelques règles strictes de discipline. On lève la main avant de prendre la parole. Pas de bavardages pendant le cours. Pas d'interruptions.

3. Avant même d'entrer dans la salle, il faut que le calme soit établi. En rangs quasi militaires, l'ordre règne déjà.

4. Attendre le silence complet avant de commencer le cours. Annoncer que chaque minute de

cette attente sera déduite du temps de récréation.

Bon, Catherine a appliqué tout ça, du point 1 au point 4 – mais Enzo et Renaud sont toujours en train de bavarder, ainsi que Jeanne et Julie. Et voilà qu'Adèle et Alice s'y sont mises.

Si Catherine pouvait écrire son manuel à elle à l'usage des professeurs, elle donnerait d'autres instructions. Par exemple :

1. Étrangler les bavards.

2. Les égorger, au besoin.

3. Au minimum, les enfermer dans des cages solidement verrouillées.

4. En tout cas, les bâillonner.

Catherine, si grande et si belle, se

sent toute chétive et minable face à sa classe, incapable qu'elle est de faire bonne figure, et rongée d'inquiétude.

Il y a de quoi. Ils sont dix-huit garçons et dix filles dont le seul plaisir, le seul talent sur Terre et peut-être le seul avenir dans la vie, est la tchatche.

Une épouvantable bande de pipelettes.

« Calme ! Zen ! » se dit Catherine en se mettant en route.

Méthode des feux tricolores

Catherine, la quarantaine, n'a pas d'enfants. Elle n'en veut pas. Elle estime qu'elle en voit bien assez comme ça toute la journée, et qu'il y en a déjà suffisamment sur Terre.

Elle préfère concentrer ses facultés d'amour sur la personne de son « petit mari », ainsi nommé parce qu'il

ne mesure qu'un mètre quatre-vingt-dix-huit.

Dur, dur, par les temps qui courent, de trouver un mari de plus de deux mètres ; mais ça ne l'empêche pas de l'aimer, ni de profiter de ses services.

Artémis est à la fois le doudou et la béquille de Catherine.

Il la console, il lui remonte le moral. Il est toujours en train de lui inventer des trucs pour l'aider dans son métier d'enseignante.

L'année dernière déjà – puisqu'elle a le malheur de traîner sa classe pipelette pour la deuxième année consécutive – il lui avait fait un beau cadeau de fête des (pas encore) Mères : des feux tricolores sonores.

Le principe de ce gadget est simple.

Tant que le feu est au vert, rien ne se passe ; mais à l'orange, un avertisseur se déclenche, d'intensité moyenne ; et si le feu vire au rouge, c'est un vacarme assourdissant qui s'élève, censé couvrir le bruit des bavardages.

L'ennui, c'est que le vacarme en question se propage jusque dans les salles voisines, où enseignent les deux collègues de Catherine, Sophie et Myriam. Lesquelles ne s'en montrent pas particulièrement ravies.

Et puis le vacarme du feu rouge, quoique de nature à réveiller les morts, n'a finalement aucun effet réel sur les bavards de la classe de

Catherine. Rien ne les empêchera jamais de papoter.

Catherine a donc débranché l'appareil, qui ne reste accroché au mur qu'à titre d'installation décorative, et y restera jusqu'à la prochaine trouvaille de son mari.

Méthode des cinq minutes

Dans son lit, la nuit, Catherine se tourne et se retourne, ruminant des plans d'action et autres stratagèmes visant à neutraliser ses bavards sans recourir aux facilités du chantage et de la punition.

Catherine aimerait réussir à restaurer la paix en classe par des moyens pacifiques.

Elle essaie la méthode dite « des cinq minutes ».

Cela consiste à offrir aux élèves, pour toute heure qu'ils fourniront d'attention et de travail appliqué, la récompense de cinq minutes de bavardage intense.

Au milieu du cours de maths, cinq minutes de bla-bla. Idem au milieu de celui de français. Mais au terme de ces cinq minutes, STOP, on se remet au travail.

Si seulement ces chers petits comprenaient le sens du mot STOP !

Catherine attend, attend, attend… Elle pourrait passer la journée à attendre que le silence revienne : mais alors, pendant l'attente, les élèves n'appren-

draient rien, et le programme atten-
drait lui aussi jusqu'à la fin des siècles.

Catherine ne veut pas crier. Elle
se refuse à crier. Elle ne criera pas.

Elle crie quand même.

L'effet de surprise fait revenir
– provisoirement – un semblant de
silence.

– Comme devoir, annonce Ca-
therine, vous traiterez le sujet suivant :
« Pourquoi je parle en classe. » Je ne
le corrigerai pas : vous le faites juste
pour vous. Mais je vérifierai que vous
l'avez fait.

Je ne supporte pas cette classe ! Je ne comprends pas pourquoi ils parlent tous tout le temps. Pourquoi ne peuvent-ils pas fermer leurs boîtes à camembert et écouter ? S'ils écoutaient, ils verraient que c'est intéressant. Ils pensent qu'ils sont cool. Même Superman ne les calmerait pas. Il faudrait au minimum King Kong. Si seulement on se débarrassait de ces trois garçons terribles, le trio infernal des caïds, l'école serait un rêve. Ça fait quatre ans que je dois les supporter. Papa dit que c'est la faute de la maîtresse : elle devrait pouvoir contrôler sa classe. Mais elle fait de son mieux, la pauvre. J'aimerais trouver un truc pour l'aider.

Laura

Méthode de la séance de cris

Ils sont alignés dans la cour, prêts à remonter en classe. Catherine laisse passer tout le monde pour rester seule avec ses vingt-huit discoureurs.

Nouvelle méthode, nouvelle tentative.

Elle annonce :

– Au premier signal, vous allez tous vous mettre à crier. Et vous

hurlerez jusqu'à mon second signal…
Get ready ! Get set ! Go !

Mais là, personne ne bronche. Pour une fois, pas un mot, pas un cri, pas un souffle. Aucune réaction. Silence de mort.

Catherine encourage ses troupes :

— Allez ! On y va ! *GO !*

Pour donner l'exemple, elle-même pousse un cri à déchirer les tympans.

Les enfants la fixent comme si elle avait perdu la tête.

— Vous entendez ? Vous avez le droit de crier aussi fort que vous voulez ! Un, deux, trois, CRIEZ !

Renaud se décide à émettre une sorte de jappement, bientôt imité par quelques autres. Pour finir, c'est une meute de loups qui vocifère et

s'époumone. Le concert ne cesse que lorsque personne n'a plus de voix.

C'était le résultat voulu.

Personne n'ayant plus de voix, personne ne parle plus… du moins, pendant un petit quart d'heure. Après quoi se manifeste à nouveau chez Julie le besoin urgent de dire un secret à Emma, et chez Emma l'envie pressante de le répéter à tout le monde.

Et bla-bla-bla, et patati, et patata… c'est reparti.

Bavardage général.

blablablablablabla
blablabla
blablablablablabla
blablablablabla
blablablabla
blablablabla
blablablablablabla
blablablablabla
blablablablabla
blablablablabla
blablablabla
blablablabla

Je hais, je déteste, j'exècre l'école. Je ne suis pas du genre vomisseur, mais je vomis intérieurement toute la journée, vissé à cette chaise abominable, enchaîné à ce bureau de misère. Malheureusement, je n'aime pas mieux ma maison, avec mon père toujours en voyage et ma mère qui ne dit jamais rien. C'est le problème : je parle pour elle.

Je ne hais pas la maîtresse. Elle essaie d'être gentille, ne me donne pas de punitions comme la maîtresse du CE2. Mais je ne peux pas m'arrêter de dire des trucs à Enzo et de ricaner. J'adore surtout me moquer des autres élèves. C'est un plaisir qui ne peut jamais attendre.

Je voudrais partir d'ici, partir de l'école, partir de chez moi. Mon sac est prêt sous mon lit, mais je ne sais pas où aller. Surtout, il me faudrait de l'argent…

Renaud

Méthode du contrat

L'inspectrice, on s'en doute, est là pour soutenir et pour aider Catherine.

Elle lui dit et lui répète :

– Quand un professeur est intéressant, les enfants l'écoutent et la classe est attentive. Sachez-le.

Cette affirmation a réussi à chasser le peu de confiance que Catherine avait en elle-même.

Elle passe pourtant un temps fou à préparer ses cours et à imaginer mille moyens de capter l'attention de sa classe.

Même le jour où un auteur est venu – et un auteur adoré des enfants ! – ils n'ont pas arrêté de parler entre eux.

– Vous n'avez qu'à leur imposer les règles que vous aurez définies avec eux. Entre vos élèves et vous, il doit y avoir un contrat, suggère l'inspectrice.

Catherine fait une tentative.

– Aujourd'hui, les enfants, vous et moi allons passer un contrat, annonce-t-elle tout sourire. Nous allons faire ensemble une liste de règles que vous allez choisir, et ces

règles, vous les respecterez. Elles seront la loi de la classe.

Catherine ajoute :

— C'est moi qui fixe la première règle. La voici : Un, quand je parle, vous vous taisez.

Emma, qui se considère comme géniale, propose la deuxième règle :

— Deux, on lève le doigt quand on veut la parole.

— Trois, on ne répond jamais tous à la fois, ajoute Catherine.

— Quatre, on se tait pendant la leçon ! énonce Renaud, dont la spécialité est de parler tout le temps.

D'autres propositions fusent :

— Cinq, quand la maîtresse lève la main droite, chaque doigt signifie quelque chose : les yeux regardent,

les oreilles écoutent, la bouche se ferme, les bras restent tranquilles, les pieds cessent de bouger !

— La bouche s'est fermée avant d'entrer en classe, rectifie Angèle.

— Écouter est un défi, on essaie de le relever ! lance Alice, en plein délire d'hypocrisie.

— Chuchoter et rire, c'est comme bavarder. Il ne faut pas.

— On ne doit avoir qu'un seul mot à l'esprit : SILENCE ! proclame Enzo.

Le brouhaha est général. Comment l'arrêter ? Comment faire taire une classe si bien lancée ?

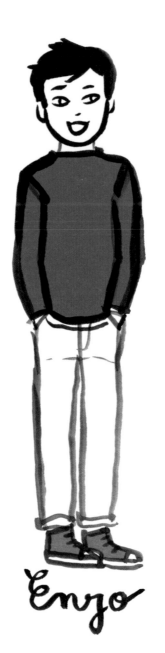

Enzo

Je ne le fais pas exprès, mais si je n'ouvrais pas ma grande gueule, je pense que la parole me sortirait par les oreilles ou par le nez. En plus, c'est généralement Renaud qui me parle et ce serait impoli de ma part de ne pas lui répondre. Ma mère me dit d'expliquer à Renaud que nous parlerons pendant la récré et à la cantine, mais que je dois boucler mon clapet pendant les cours. Cela dit, je n'accuse pas Renaud. Comme dit Maman, nous sommes tous responsables de nous-mêmes. Mais c'est quand même la faute de Renaud.

Méthode du jeu du silence

C'est en faisant des œufs à la coque que Catherine a eu l'idée du minuteur.

Elle l'a apporté en classe.

— On va faire notre séance habituelle de bruit, après quoi je minuterai votre silence. Celui d'entre vous qui tiendra le plus longtemps sans parler aura gagné.

— Gagné quoi, maîtresse ?

— Ma considération.

Pétrifiés par le tic-tac du minuteur, les élèves restent muets pendant cinq bonnes minutes.

Tous, même Renaud.

Catherine va lui serrer la main :

— Tu as ma considération.

Renaud prend l'air de quelqu'un qui a gagné au Loto.

Comme mon nom l'indique, je suis angélique, c'est sûr. Je ne bavarde jamais en classe. À vrai dire, ce n'est pas par choix, c'est juste parce que je n'ai pas le courage de désobéir comme les autres. Et puis je n'ai pas grand-chose à dire. Et je ne veux pas me faire mal voir. Ma mère a assez de problèmes pour nous élever, sans qu'il lui arrive des avertissements de l'école. Les autres, je les admire, je les envie, mais en même temps ils m'énervent parce que j'aimerais pouvoir écouter en paix. En fait, les leçons de la maîtresse m'intéressent. Je pense qu'il n'y a pas de honte à ça.

Si seulement je pouvais lui venir en aide. Mais je n'ai pas non plus le courage de m'opposer aux pires parleurs de la classe.

Angèle

Méthode des instruments

Le mari de Catherine a rassemblé pour elle un bâton de pluie, une cloche, un tambour et une trompette.

En classe, elle commence en douceur, en secouant le bâton (discret cliquetis). Puis elle finit en fanfare, par une note stridente de trompette.

Elle demande aux enfants de s'asseoir en rond.

Ils se passent le bâton de main en main. Quand elle dit « STOP », l'élève qui tient le bâton a le droit de prendre la parole. Lorsque ça tombe sur Renaud, coup de chance, il n'a rien à dire. Il passe le bâton comme si c'était une patate chaude. Julie, elle, chante *Frère Jacques*. Angèle récite un poème. Enzo pousse un cri. Alice lâche un rire.

Trêve.

Miracle ! La méthode des instruments a donné une espèce de résultat !

Alice

Je ne comprends pas pourquoi la maîtresse fait toute une histoire de quelques conversations de rien du tout. On peut très bien parler et écouter en même temps. Papa dit que nous sommes de plus en plus « multitâches ». À la maison, nous mangeons en regardant la télé. Je m'habille le matin en regardant la télé. Le soir, tous devant la télé, nous réussissons très bien à parler en zappant. En plus, Papa lit les messages sur son portable à table, et mon grand frère mange devant son ordinateur. L'humanité évolue, elle progresse. Pourquoi pas l'école ?

Méthode des proverbes,
dictons et citations

Encouragée par le récent progrès, Catherine a passé son week-end à calligraphier des panneaux de carton qu'elle punaise maintenant au plafond et aux murs de la classe.

Elle a recopié vingt-huit citations (une par élève) sur des petites feuilles de papier qu'elle met dans un chapeau. Chaque enfant doit en tirer une au hasard et l'illustrer.

LE SILENCE EST
POUR LES OREILLES
CE QUE LA NUIT
EST POUR LES YEUX.
Pascal Quignard

LE SILENCE EST REPOSANT :
IL REPOSE LE COEUR, LES POUMONS,
LE LARYNX, LA LANGUE,
LES LÈVRES – ET LA BOUCHE.
Le Zohar

LE SILENCE EST UN AMI
QUI NE TRAHIT JAMAIS.
Confucius

LE SILENCE
EST L'ÂME
DES CHOSES.
Proverbe français

LA SANTÉ
C'EST LE SILENCE
DES ORGANES.
Paul Valéry

TOUT A SES MERVEILLES :
L'OBSCURITÉ ET LE SILENCE
AUSSI.
Helen Keller

LA PAROLE
EST D'ARGENT,
LE SILENCE
EST D'OR.
Le Talmud

L'ARBRE DE SILENCE PORTE LES FRUITS DE LA PAIX.
Proverbe arabe

LE SILENCE EST FAIT DE PAROLES QUE L'ON N'A PAS DITES. Marguerite Yourcenar

LE SILENCE EST LA PLUS HAUTE SAGESSE DE L'HOMME.
Pindare

LES MOTS QUE L'ON N'A PAS DITS SONT LES FLEURS DU SILENCE.
Proverbe japonais

Je suis tombée sur le proverbe japonais et j'ai de la chance parce que j'aime dessiner les fleurs et j'aime tout ce qui est japonais, comme les sushis et les mangas. Peut-être le silence vient-il plus facilement aux enfants japonais, je n'en sais rien, mais si on ne parlait pas, on ferait aussi bien d'être morts. J'adore l'école, mais plus pour y voir les copines que pour autre chose. Bien sûr, je sais qu'il faut savoir lire et écrire, dans la vie. Mais il faut aussi savoir faire le fou et s'amuser, sinon à quoi bon vivre ?

Julie

Méthode de la chanson

Le progrès constaté dernièrement est de nouveau en recul, ce lundi. Les enfants se sont remis à bavarder.

Ils jacassent, ils jaspinent, ils babillent. Ils clabaudent. De vrais moulins à paroles. D'après certains, s'ils le font, c'est par ennui. D'autres disent que c'est par enthousiasme.

Quelle que soit la raison, ils jactent.

N'en pouvant plus, Catherine entonne une chanson américaine, un tube qu'elle écoutait quand elle était étudiante.

You talk too much,
You worry me to death,
You talk too much,
You even worry my pet,
You just talk,
Talk too much.

You talk about people
That you don't know,
You talk about people
Wherever you go,
You just talk,
Talk too much.

You talk about people
That you've never seen,
You talk about people,
You can make me scream,
You just talk,
Talk too much.

Paroles et musique
de Joe Jones & Reginald Hall

Les élèves sont assez surpris de cette explosion vocale, mais leur surprise ne les fait pas taire. Le bavardage se poursuit.

Catherine est au bord du désespoir.

Catherine quitte la classe en larmes.

On ne l'y reverra pas avant un mois.

Catherine

Qu'est-ce que je fais ici ? Je n'en peux plus. J'ai toujours voulu enseigner, j'en ai rêvé, j'ai passé les concours, j'ai étudié, j'ai eu un poste, je voulais tant être efficace et faire aimer les matières, la lecture, le savoir. Je pensais avoir une véritable vocation. Mais une vocation d'enseignante. Pas une vocation de clown, ni de gardienne de prison, ni d'infirmière psychiatrique. Voilà, c'est fini pour moi. J'arrête !

Méthode du remplaçant

Si Laura a pu penser que King Kong était le seul à pouvoir dompter la classe, elle est servie.

Celui qui se présente pour remplacer la gentille maîtresse Catherine est un individu qui a l'aspect, la taille, la corpulence et l'amabilité du gorille.

Il se nomme Monsieur Gaglia : entre eux les enfants vont aussitôt

l'appeler Monsieur Gaga. Il ne parle pas, il grogne. Regard mauvais, sourcils froncés, mâchoire serrée. La réputation de la classe a dû lui parvenir, car il déploie d'emblée les méthodes chocs.

Les punitions pleuvent. Renaud est expédié trois fois de suite chez la directrice. Quatre élèves séjournent en permanence aux quatre coins de la classe. Sébastien doit coller son nez au mur, Enzo n'a pas le droit de relever la tête. Les sanctions collectives s'accumulent, les récréations sont supprimées. L'activité physique disparaît. Les tables sont tout le temps changées de place : Angèle se trouve maintenant à côté de Renaud, et Laura doit partager sa table avec Enzo.

C'est simple : je le hais ! J'ai des envies de meurtre. D'accord, nous sommes tous bien trop terrorisés pour bavarder, mais aussi pour apprendre ! Mon père est allé se plaindre à la directrice. Elle lui a répondu que notre classe a conduit sa meilleure enseignante à la dépression nerveuse et que si les parents s'occupaient un peu mieux de leurs enfants, il n'y aurait pas ce genre de problèmes. Je ne suis pas le pire des garçons, mais j'aime pouvoir échanger quelques mots de temps en temps avec mon voisin, Jules. D'après ma mère, on ne peut pas demander à des enfants en pleine santé de rester toute une journée muets comme des momies. En ce moment, on passe plus de temps à subir des punitions qu'à étudier.

Sébastien

Le retour de Catherine

De retour dans sa classe après un mois, Catherine est accueillie triomphalement.

Elle a maigri, elle est pâle, elle fait pitié, mais les enfants sont ravis, soulagés et heureux de la revoir.

Son remplaçant aussi a l'air bien content qu'elle revienne.

En quinze ans de carrière d'enseignant remplaçant, je n'ai jamais vu une classe pareille. Avec elle, les pires punitions ne marchent pas. Dommage que nous n'ayons plus le droit de donner des claques et d'administrer des châtiments corporels. Face à des démons pareils, c'est la seule méthode qui pourrait réussir. Adieu à cette classe infernale. Et bonne chance à cette héroïque jeune femme.

Méthode de la minute de silence

Catherine dit timidement bonjour à sa classe.

— J'ai eu le temps de réfléchir pendant mon absence. Je ne comprends pas pourquoi vous, qui avez la chance de fréquenter une bonne école, et qui avez tout, vous vous comportez comme des voyous. J'aimerais que vous vous compariez

à d'autres enfants dans le monde, et à d'autres périodes de l'histoire.

Elle inscrit la consigne au tableau : *Chacun va chercher un problème qui se pose quelque part dans un autre pays du monde. Il va le présenter en quelques phrases placées dans cette boîte. Nous écouterons chaque jour une de ces présentations et nous réfléchirons ensemble aux façons possibles de résoudre le problème. Et puis aussi, nous observerons une minute de silence, en hommage aux gens qui souffrent ou qui ont souffert.*

Ainsi, une fois par jour, pendant plus d'un mois, Catherine tire une feuille de la boîte à malheurs. La classe écoute une présentation sur la faim, sur l'exploitation des enfants, sur la maltraitance, sur la ségrégation

raciale, le racisme ordinaire, le chô-
mage, les guerres, la Shoah, les
massacres, la pollution.

Après quoi, on se tient debout,
dans le plus parfait silence, en songeant aux moins chanceux que soi.

Depuis que nous avons commencé la minute de silence, je réfléchis davantage. J'aimerais devenir assez fort pour commencer à trouver quelques solutions aux problèmes. Je voulais faire un exposé sur le bruit (auquel je contribue !) mais ça fait trop fayot. Je pense vraiment que si nous ne sommes pas capables de tenir nos langues pendant cinquante minutes, comment bâtir un monde plus discipliné et plus juste ? Pour ma part, fayot ou pas, j'arrête de bavarder en classe !

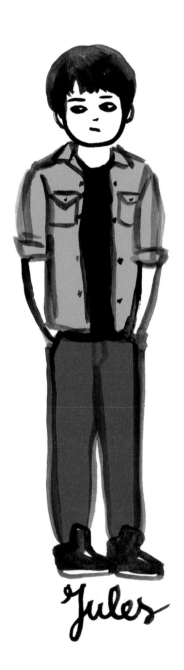

Jules

Méthode du jeu de l'écriture

Catherine distribue à chacun un petit carnet rouge à feuilles détachables.

— Chaque fois que vous éprouvez le besoin de dire quelque chose à votre voisin, écrivez ce que vous voulez lui dire sur une feuille et passez-la-lui. Il suffit de prendre l'habitude d'écrire au lieu de parler.

Faisons tout de suite un essai. Vous avez le droit de vous passer des mots.

Renaud fait de son mot un avion, qu'il lance et qui atterrit aux pieds de Catherine. Elle le ramasse et constate que c'est un tissu de gros mots.

À voir la tête de notre maîtresse, j'ai envie de cogner sur Renaud. Pourquoi la directrice ne renvoie-t-elle pas ce voyou ! Personnellement je remplirais bien un bocal d'insectes pour les lui verser dans la bouche. J'entourerais sa tête de papier collant. Je lui enverrais une décharge électrique chaque fois qu'il dit un mot. Je lui mettrais la tronche sous l'eau dans une bassine. Mais je sais que je ne vaux pas mieux. C'est facile de jeter la pierre aux autres.

Antoine

Bingo

Catherine ne renonce pas.

Elle imprime des cartes qui res-
semblent à des grilles de Loto – cinq
cases horizontales et cinq verticales.
Les cases sont vierges.

– Chaque fois que vous avez
envie de parler, vous cochez une case
en y mettant une croix. Quand la
carte est remplie de tous vos efforts
pour vous contrôler, quand vous avez
vingt-cinq croix, la preuve est faite
que vous avez surmonté vos envies

de nuire à la concentration générale de cette classe, et vous aurez une récompense.

– Quel genre de récompense, maîtresse ?

Catherine tire de son sac le trésor qu'elle a rapporté du supermarché : une boîte de sucettes de toutes les couleurs. La méthode marche un jour, deux jours. Puis les élèves se lassent…

Bilal

Depuis que je suis tout petit, mes parents n'arrêtent pas de nous prêcher d'être sages à l'école, d'obéir et de bien travailler. Et tous les jours, quand on rentre, ils nous demandent : «Vous avez bien écouté ?» On n'a pas le choix, il faut dire oui. Ce serait quand même mieux si ce oui était la vérité.

Le menu

Catherine a rempli des cartes.

Couscous, boulettes, glace à la pistache, choucroute, spaghettis, baguette, salami, saucisses, muesli, hamburger, frites, raviolis, purée, gratin dauphinois, pizza, escalope milanaise, chocolat, calissons, côtelettes, saumon fumé, tomates farcies, ratatouille, taboulé, corn flakes,

crêpes, cookies, sushis, pot-au-feu, daube.

Elle a invité chaque enfant à réunir un jeu de cartes de ses plats préférés.

– Chaque fois que vous avez envie de parler à votre voisin, tirez une carte et rêvez que vous vous régalez.

De toutes les idées qu'a eues Catherine pour vaincre le bavardage, c'est la pire. Elle soulève une vague de faim hystérique qui s'abat sur la classe avec la violence d'un tsunami.

Et le bavardage redouble.

Non seulement la classe, mais toute l'école et même toute la ville sont bouleversées aujourd'hui. Sa mère est venue voir la maîtresse, les flics sont venus nous questionner mais nous sommes tous bouche bée, incapables de fournir le moindre renseignement. Renaud a disparu. Notre classe est enfin à peu près calme et silencieuse, pourtant la maîtresse n'arrête pas de pleurer.

Mathilde

Le vide

Les enfants circulent dans la classe sur la pointe des pieds, en silence, tout autour de Catherine qui se tient au milieu d'eux comme un fantôme.

L'inquiétude : voilà une méthode qui n'avait pas encore été essayée, en tout cas une expérience que Catherine, Dieu merci, n'avait pas encore eu l'occasion de tenter.

Pas besoin de gronder, de crier, de menacer, ni de réclamer le calme. Les élèves sont muets, prostrés, aussi choqués que leur maîtresse. Ils font semblant de lire à leurs tables.

Renaud n'a pas dû aller bien loin. Le voici de retour aujourd'hui lundi, et c'est un autre Renaud. La maîtresse aussi est une autre maîtresse. Elle ressemble à un zombie. Elle n'a visiblement pas dormi du week-end. Renaud est maintenant à sa place, et il ne parle pas, ne chahute pas, n'ouvre pas la bouche. On ne sait pas pourquoi il a séché l'école mais on imagine toutes sortes de choses : il s'est payé des films, il a mangé dans des grands restaurants, il a traîné en ville à faire les magasins. Toujours est-il qu'en réapparaissant, il a déposé sur le bureau de la maîtresse un paquet cadeau.

Olivier

Le pistolet

Quand Catherine a déballé le cadeau de Renaud, un sourire a illuminé son être comme un lever de soleil.

Elle est sortie de la classe et est revenue un moment après avec son tout nouveau pistolet à eau chargé, prêt à l'emploi.

Pendant quelques jours, elle n'a pas eu besoin de s'en servir.

Et puis la classe pipelette est retombée dans sa mauvaise habitude de bavardage et Catherine a pu s'en donner à cœur joie.

Tout le monde y est passé, même Renaud, le généreux donateur, qui s'est retrouvé trempé comme une soupe, sur le coup de midi.

Catherine se défoule. L'eau dont elle asperge les bavards lui semble être la solution purificatrice, ou au moins rafraîchissante.

Le silence parfait n'est pas garanti au menu de chaque jour ; mais grâce à l'eau qu'elle envoie dans le bruit, Catherine semble accepter enfin ce qu'elle ne pourra jamais changer.

Elle continuera à faire son possible pour enseigner, et beaucoup de

ses élèves continueront à assimiler
le savoir qu'elle leur livre et qu'ils
veulent bien assimiler.

Faute d'acquérir des connaissances,
les autres, au moins, s'imprégneront
d'un peu d'eau.

Et pour eux aussi, la vie scolaire
se poursuivra : une vie de buvard, sur
un chemin de larmes, et sous les jets
émis par un pistolet en plastique.

Bavard, buvard.

À chacun de choisir son destin.

patati patata

7 Caspar David Friedrich, *Forêt de sapins avec une cascade*, 1828. Kunsthalle, Hambourg.

« *Elle était déjà au bord du ruisseau, au pied de la colline aux sapins. "Faut-il ? Non, j'ai bien trop peur", se dit-elle.* »

8 Caspar David Friedrich, *Ravin dans l'Elbandstein*, 1822. Kunsthistorisches Museum, Vienne.

« *Je fus éveillée par les premiers rayons du jour sur mon visage. Un roc escarpé se dressait devant moi ; je l'escaladai dans l'espoir de découvrir une issue à cette solitude et d'apercevoir peut-être des maisons ou des êtres humains.* »

9 Francis R. Stock, *Le chant de l'oiseau*, XIXe siècle. Collection privée.

« *(...) je pouvais avoir une douzaine d'années, lorsqu'un jour, mise en confiance, elle me révéla un secret : l'oiseau pondait chaque jour un œuf qui renfermait une perle ou une pierre précieuse.* »

10 Caspar David Friedrich, *Voyageur devant la mer de nuages*, 1818.
Kunsthalle Hambourg.

*« Eckbert vécut longtemps dans la plus grande solitude ;
auparavant déjà, il avait toujours été mélancolique, car
l'histoire de sa femme lui inspirait une incessante inquiétude,
et il redoutait toujours que ne survînt quelque malheur (...). »*

11 *Le Seigneur des anneaux* de Peter Jackson, 2001.

Marie sentit la chaleur. « Mais alors, dit-elle, pourquoi ces délicieuses créatures ne sortent-elles pas de là pour venir jouer avec nous ? — De même que tu vis dans l'air, répondit Zerina, il faut qu'elles restent toujours dans le feu, car ici, dehors, elles dépériraient. Vois comme elles sont heureuses, comme elles rient et crient : celles que tu vois là-bas, au fond, étendent les fleuves de feu partout sous la terre, et c'est cela qui fait pousser les fleurs, les fruits et la vigne ; les ruisseaux de feu coulent auprès des courants d'eau, et ces êtres de flamme sont toujours actifs et joyeux. Mais il fait trop chaud pour toi ici, redescendons au jardin. »

En bas, le décor avait changé. Le clair de lune s'épandait sur toutes les fleurs, les oiseaux s'étaient tus et les enfants dormaient en groupes sous les vertes tonnelles. Mais Marie et son amie, qui ne se sentaient nullement lasses, se promenèrent en bavardant jusqu'à l'aube dans la chaude nuit d'été.

Lorsque le jour parut, elles déjeunèrent de fruits et de lait, et Marie dit : « Allons, pour changer, jusqu'aux sapins ; je suis curieuse de revoir ce paysage. — Je veux bien, répondit Zerina, tu y verras aussi nos sentinelles, qui te plairont certainement ; elles se tiennent sur l'enceinte, entre les arbres. » Elles traversèrent les jardins fleuris d'exquis bosquets tout habités de rossignols, gravirent des coteaux de vignes et parvinrent enfin,

nachdem sie lange den Windungen eines klaren
Baches nachgefolgt waren, zu den Tannen und der
Erhöhung, welche das Gebiet begrenzte. »Wie
kommt es nur«, fragte Marie, »daß wir hier inner-
halb so weit zu gehn haben, da doch draußen der
Umkreis nur so klein ist?« »Ich weiß nicht«, antwortete die Freundin, »wie es zugeht, aber es ist so.«
Sie stiegen zu den finstern Tannen hinauf, und ein
kalter Wind wehte ihnen von draußen entgegen; ein
Nebel schien weit umher auf der Landschaft zu
liegen. Oben standen wunderliche Gestalten, mit
mehligen bestäubten Angesichtern, den widerlichen
Häuptern der weißen Eulen nicht unähnlich; sie
waren in faltigen Mänteln von zottiger Wolle
gekleidet, und hielten Regenschirme von seltsamen
Häuten ausgespannt über sich; mit Fledermaus-
flügeln, die abenteuerlich neben dem Rockelor her-
vorstarrten, wehten und fächelten sie unablässig.
»Ich möchte lachen und mir graut«, sagte Marie.
»Diese sind unsre guten fleißigen Wächter«, sagte
die kleine Gespielin, »sie stehen hier und wehen,
damit jeden kalte Angst und wundersames Fürchten
befällt, der sich uns nähern will; sie sind aber so
bedeckt, weil es jetzt draußen regnet und friert, was
sie nicht vertragen können. Hier unten kommt niemals Schnee und Wind, noch kalte Luft her, hier ist
ein ewiger Sommer und Frühling, doch wenn die
da oben nicht oft abgelöst würden, so vergingen sie
gar.«

»Aber wer seid ihr denn«, fragte Marie, indem sie
wieder in die Blumendüfte hinunterstiegen,

après avoir suivi longtemps les méandres d'un clair ruisseau, aux sapins et à la levée de terre qui bordaient le domaine enchanteur. « Comment se fait-il, dit Marie, que nous ayons tant de chemin à faire pour atteindre aux limites, alors qu'à l'extérieur le pourtour de ce vallon est si petit? — Je ne sais comment cela se fait, répondit son amie ; mais c'est ainsi. » Elles montèrent jusqu'aux sombres sapins ; un vent froid venait du dehors, et tout le paysage semblait enveloppé de brume. Sur le remblai, elles virent d'étranges êtres dont les visages enfarinés et poussiéreux n'étaient pas sans ressemblance avec les têtes horribles des chouettes blanches ; vêtus de manteaux aux nombreux plis faits de laine velue, ils s'abritaient sous des parapluies tendus d'étranges peaux. Ils battaient et s'éventaient sans cesse de leurs ailes de chauves-souris bizarrement attachées à leurs roquelaures. « J'ai envie de rire, mais j'ai peur, dit Marie. — Ce sont nos bons et vigilants gardiens, dit sa petite compagne ; ils restent ici à agiter leurs ailes afin d'inspirer une terreur glaciale et un épouvantable frisson à quiconque voudrait s'approcher ; et ils portent ces manteaux parce qu'il pleut et gèle dehors et qu'ils ne peuvent le supporter. Ici, en bas, il n'y a jamais ni vent, ni neige, ni froidure, c'est un éternel printemps et un éternel été ; mais si on ne relevait pas souvent nos sentinelles, elles mourraient là-haut.

— Mais qui êtes-vous donc ? demanda Marie, tandis qu'elles redescendaient parmi les suaves effluves des fleurs.

»oder habt ihr keinen Namen, woran man euch erkennt?«

»Wir heißen Elfen«, sagte das freundliche Kind, »man spricht auch wohl in der Welt von uns, wie ich gehört habe.«

Sie hörten auf der Wiese ein großes Getümmel. »Der schöne Vogel ist angekommen!« riefen ihnen die Kinder entgegen; alles eilte in den Saal. Sie sahen indem schon, wie jung und alt sich über die Schwelle drängte, alle jauchzten und von innen scholl eine jubilierende Musik heraus. Als sie hineingetreten waren, sahen sie die große Rundung von den mannigfaltigsten Gestalten angefüllt, und alle schauten nach einem großen Vogel hinauf, der in der Kuppel mit glänzendem Gefieder langsam fliegend vielfache Kreise beschrieb. Die Musik klang fröhlicher als sonst, die Farben und Lichter wechselten schneller. Endlich schwieg die Musik, und der Vogel schwang sich rauschend auf eine glänzende Krone, die unter dem hohen Fenster schwebte, welches von oben die Wölbung erleuchtete. Sein Gefieder war purpurn und grün, durch welches sich die glänzendsten goldenen Streifen zogen, auf seinem Haupte bewegte sich ein Diadem von so helleuchtenden kleinen Federn, daß sie wie Edelgesteine blitzten. Der Schnabel war rot und die Beine glänzend blau. Wie er sich regte, schimmerten alle Farben durcheinander, und das Auge war entzückt. Seine Größe war die eines Adlers. Aber jetzt eröffnete er den leuchtenden Schnabel, und so süße Melodie quoll aus seiner bewegten Brust,

Ou bien n'avez-vous pas de nom auquel on vous reconnaisse?

— Nous sommes les Elfes, dit la délicieuse enfant; on parle de nous dans votre monde, m'a-t-on dit. »

Elles entendirent un grand tumulte sur la prairie. « Le bel oiseau est arrivé! » leur crièrent les enfants; tout le monde courut vers la salle. Elles voyaient déjà jeunes et vieux se presser sur le seuil, tout le monde criait d'allégresse, et une musique joyeuse s'élevait à l'intérieur. La porte franchie, elles virent la grande rotonde emplie des créatures les plus variées; toutes regardaient un grand oiseau aux ailes étincelantes qui décrivait lentement des cercles sous la coupole. La musique était plus allègre que la veille, les couleurs et les lumières changeaient plus vite. La musique finit par se taire, et l'oiseau monta à grand bruit d'ailes se poser sur une couronne resplendissante, suspendue sous la fenêtre qui éclairait la voûte d'en haut. Ses plumes étaient de pourpre et d'émeraude, rayées de lignes d'or miroitant; sa tête était couronnée d'un diadème formé de petites plumes si lumineuses qu'elles scintillaient comme des pierreries. Son bec était rouge et ses pattes d'un bleu éclatant. À chaque mouvement, toutes ces couleurs jouaient, mêlant leur splendeur, et l'œil était charmé. Il était de la taille d'un aigle. Son bec s'ouvrit et une mélodie sortit de sa poitrine,

in schönern Tönen, als die der liebesbrünstigen Nachtigall; mächtiger zog der Gesang und goß sich wie Lichtstrahlen aus, so daß alle, bis auf die kleinsten Kinder selbst, vor Freuden und Entzückungen weinen mußten. Als er geendigt hatte, neigten sich alle vor ihm, er umflog wieder in Kreisen die Wölbung, schoß dann durch die Tür und schwang sich in den lichten Himmel, wo er oben bald nur noch wie ein roter Punkt erglänzte und sich den Augen dann schnell verlor.

»Warum seid ihr alle so in Freude?« fragte Marie und neigte sich zum schönen Kinde, das ihr kleiner als gestern vorkam. »Der König kommt!« sagte die Kleine, »den haben viele von uns noch gar nicht gesehn, und wo er sich hinwendet ist Glück und Fröhlichkeit; wir haben schon lange auf ihn gehofft, sehnlicher, als ihr nach langem Winter auf den Frühling wartet, und nun hat er durch diesen schönen Botschafter seine Ankunft melden lassen. Dieser herrliche und verständige Vogel, der im Dienst des Königes gesandt wird, heißt Phönix, er wohnt fern in Arabien auf einem Baum, der nur einmal in der Welt ist, so wie es auch keinen zweiten Phönix gibt. Wenn er sich alt fühlt, trägt er aus Balsam und Weihrauch ein Nest zusammen, zündet es an und verbrennt sich selbst, so stirbt er singend, und aus der duftenden Asche schwingt sich dann der verjüngte Phönix mit neuer Schönheit wieder auf. Selten nur nimmt er seinen Flug so, daß ihn die Menschen sehn, und geschieht es einmal in Jahrhunderten,

aussi douce que celle du rossignol amoureux, mais d'un son plus beau encore; ce chant s'enfla et se répandit comme un rayonnement de lumière. C'était d'une si émouvante beauté que tous, et jusqu'aux plus petits des enfants, fondirent en larmes. Lorsqu'il se tut, tous se prosternèrent devant lui, il se remit à voler sous la voûte, puis s'élança par la porte ouverte et prit son essor vers le ciel éclatant où il ne fut bientôt plus qu'un lumineux point rouge qui s'évanouit rapidement.

« Pourquoi êtes-vous tous si joyeux? » demanda Marie en se penchant vers la belle enfant qui lui paraissait plus petite que la veille. « Le Roi va venir! dit la fillette; beaucoup d'entre nous ne l'ont jamais vu, et partout où il apparaît règnent le bonheur et la gaieté; nous avons espéré longtemps sa venue, la désirant avec une plus fervente nostalgie que vous n'attendez le printemps après un long hiver; et voici qu'il nous annonce son arrivée par ce beau messager. Ce splendide et intelligent oiseau, qui nous est envoyé par le Roi, se nomme Phénix; il habite dans la lointaine Arabie sur un arbre qui est seul de son espèce sur terre, de même qu'il n'y a qu'un Phénix. Lorsqu'il sent sa vieillesse venue, il se bâtit un nid de baume et d'encens auquel il met le feu; il se brûle ainsi et meurt en chantant; et de la cendre odorante naît ensuite le Phénix ressuscité et paré d'une beauté nouvelle. Il est rare que, prenant son essor, il se montre aux hommes; lorsque cela arrive au cours des siècles,

so zeichnen sie es in ihre Denkbücher auf, und erwarten wundervolle Begebenheiten. Aber nun, meine Freundin, wirst du auch scheiden müssen, denn der Anblick des Königes ist dir nicht vergönnt.«

Da wandelte die goldbekleidete schöne Frau durch das Gedränge, winkte Marien zu sich und ging mit ihr unter einen einsamen Laubengang; »du mußt uns verlassen, mein geliebtes Kind«, sagte sie; »der König will auf zwanzig Jahr, und vielleicht auf länger, sein Hoflager hier halten, nun wird sich Fruchtbarkeit und Segen weit in die Landschaft verbreiten, am meisten hier in der Nähe; alle Brunnen und Bäche werden ergiebiger, alle Äcker und Gärten reicher, der Wein edler, die Wiese fetter und der Wald frischer und grüner; mildere Luft weht, kein Hagel schadet, keine Überschwemmung droht. Nimm diesen Ring und gedenke unser, doch hüte dich, irgendwem von uns zu erzählen, sonst müssen wir diese Gegend fliehen, und alle umher, so wie du selbst, entbehren dann das Glück und die Segnung unsrer Nähe : noch einmal küsse deine Gespielin und lebe wohl.« Sie traten heraus, Zerina weinte, Marie bückte sich, sie zu umarmen, sie trennten sich. Schon stand sie auf der schmalen Brücke, die kalte Luft wehte hinter ihr aus den Tannen, das Hündchen bellte auf das herzhafteste und ließ sein Glöckchen ertönen; sie sah zurück und eilte in das Freie, weil die Dunkelheit der Tannen, die Schwärze der verfallenen Hütten, die dämmernden Schatten sie mit ängstlicher Furcht befielen.

les hommes le consignent dans leurs chroniques et attendent des miracles. Mais maintenant, mon amie, il te faut nous quitter, car la vue du Roi ne t'est pas permise. »

À cet instant, la belle dame à la robe brodée d'or s'avança à travers la foule, fit un signe à Marie et l'emmena sous une tonnelle solitaire. « Il te faut nous quitter, ma chère enfant, dit-elle ; le Roi va établir ici sa cour pour vingt ans et davantage ; la fertilité bénira cette contrée et surtout le pays qui est tout proche d'ici ; les sources et les ruisseaux seront plus généreux, les champs et les jardins plus riches, le vin plus noble, les prairies plus grasses, les bois plus frais et plus verts. Les souffles de l'air auront plus de douceur, il n'y aura plus de funeste grêle ni d'inondations. Prends cet anneau et souviens-toi de nous, mais garde-toi bien de rien raconter à personne ; sinon, nous devrons fuir de ce pays, et tous ses habitants, ainsi que toi-même, seront privés du bonheur et de la bénédiction de notre présence ; embrasse une dernière fois ta compagne. Adieu. » Elles sortirent du bosquet. Zerina se mit à pleurer, Marie se pencha pour l'embrasser, puis elles se séparèrent. Marie était déjà sur le petit pont, le vent glacial descendait des sapins, le petit chien jappait de tout son cœur en faisant tinter sa clochette ; l'enfant se retourna, puis se prit à courir à travers champs, car la sombre masse des sapins, l'aspect sinistre des chaumières délabrées et les ombres du crépuscule l'emplissaient d'effroi.

»Wie werden sich meine Eltern meinethalb in dieser Nacht geängstigt haben!« sagte sie zu sich selbst, als sie auf dem Felde stand, »und ich darf ihnen doch nicht erzählen, wo ich gewesen bin und was ich gesehn habe, auch würden sie mir nimmermehr glauben.« Zwei Männer gingen an ihr vorüber, die sie grüßten, und sie hörte hinter sich sagen: »Das ist ein schönes Mädchen! Wo mag sie nur her sein?« Mit eiligeren Schritten näherte sie sich dem elterlichen Hause, aber die Bäume, die gestern voller Früchte hingen, standen heute dürr und ohne Laub, das Haus war anders angestrichen, und eine neue Scheune daneben erbaut. Marie war in Verwunderung, und dachte, sie sei im Traum; in dieser Verwirrung öffnete sie die Tür des Hauses, und hinter dem Tische saß ihr Vater zwischen einer unbekannten Frau und einem fremden Jüngling. »Mein Gott, Vater!« rief sie aus, »wo ist denn die Mutter?« —»Die Mutter?« sprach die Frau ahndend, und stürzte hervor; »ei, du bist doch wohl nicht — ja freilich, freilich bist du die verlorene, die totgeglaubte, die liebe einzige Marie!« Sie hatte sie gleich an einem kleinen braunen Male unter dem Kinn, an den Augen und der Gestalt erkannt. Alle umarmten sie, alle waren freudig bewegt, und die Eltern vergossen Tränen. Marie verwunderte sich, daß sie fast zum Vater hinaufreichte, sie begriff nicht, wie die Mutter so verändert und geältert sein konnte, sie fragte nach dem Namen des jungen Menschen. »Es ist ja unsers Nachbars Andres«, sagte Martin,

« Mes parents ont dû être bien inquiets cette nuit, se dit-elle lorsqu'elle se trouva dans les champs. Mais je ne puis leur dire d'où je viens ni ce que j'ai vu ; d'ailleurs, ils ne me croiraient pas. » Deux hommes qui passaient la saluèrent, et elle les entendit dire : « Quelle belle fille ! D'où peut-elle bien venir ? » Pressant le pas, elle se dirigea vers la maison paternelle, mais les arbres, qui la veille étaient couverts de fruits, se dressaient maintenant secs et dépouillés, la maison avait été repeinte d'une autre couleur et on avait bâti tout auprès une nouvelle grange. Marie, toute surprise, crut rêver ; égarée, elle poussa la porte et vit à la table son père assis entre une femme inconnue et un jeune homme qu'elle n'avait jamais vu. « Oh, Dieu ! père, s'écria-t-elle, où est maman ? — Maman ? fit la femme, comme frappée d'une révélation, en s'élançant vers elle. Tu n'es pourtant pas... Mais oui, mais oui, tu es notre enfant perdue, notre chère, notre unique Marie, que nous avons crue morte. » Elle avait reconnu aussitôt une petite tache brune sous le menton, les yeux, la tournure. Tous l'embrassèrent, joyeusement émus, et les parents fondirent en larmes. Marie fut fort surprise de se voir presque aussi grande que son père ; elle ne comprenait pas comment sa mère pouvait être aussi changée et vieillie ; et elle demanda qui était le jeune homme. « Mais c'est Andrès, le gars du voisin, répondit Martin,

»wie kommst du nur nach sieben langen Jahren so unvermutet wieder? wo bist du gewesen? Warum hast du denn gar nichts von dir hören lassen?« — »Sieben Jahr?« sagte Marie, und konnte sich in ihren Vorstellungen und Erinnerungen nicht wieder zurechtfinden; »sieben ganzer Jahre?« »Ja, ja«, sagte Andres lachend, und schüttelte ihr treuherzig die Hand; »ich habe gewonnen, Mariechen, ich bin schon vor sieben Jahren an dem Birnbaum und wieder hieher zurück gewesen, und du Langsame, kommst nun heut erst an!«

Man fragte von neuem, man drang in sie, doch sie, des Verbotes eingedenk, konnte keine Antwort geben. Man legte ihr fast die Erzählung in den Mund, daß sie sich verirrt habe, auf einen vorbeifahrenden Wagen genommen, und an einen fremden Ort geführt sei, wo sie den Leuten den Wohnsitz ihrer Eltern nicht habe bezeichnen können; wie man sie nachher nach einer weit entlegenen Stadt gebracht habe, wo gute Menschen sie erzogen und geliebt; wie diese nun gestorben, und sie sich endlich wieder auf ihre Geburtsgegend besonnen, eine Gelegenheit zur Reise ergriffen habe und so zurückgekehrt sei. »Laßt alles gut sein«, rief die Mutter; »genug, daß wir dich nur wiederhaben, mein Töchterchen, du meine Einzige, mein Alles!«

Andres blieb zum Abendbrot, und Marie konnte sich noch in nichts finden. Das Haus dünkte ihr klein und finster, sie verwunderte sich über ihre Tracht, die reinlich und einfach, aber ganz fremd erschien; sie betrachtete den Ring am Finger,

comment se fait-il que tu nous reviennes tout à coup après sept ans d'absence ? D'où viens-tu ? Pourquoi ne nous as-tu jamais donné de tes nouvelles ? — Sept ans ? balbutia Marie, incapable d'ordonner ses idées et ses souvenirs. Sept années entières ? — Oui, oui, dit Andrès en riant et en lui secouant familièrement la main ; j'ai gagné, petite Marie, il y a sept ans que je suis arrivé au poirier et rentré à la maison, et toi, paresseuse, tu arrives aujourd'hui seulement ! »

On lui posa encore des questions, on la pressa de parler ; mais, se souvenant de la défense qui lui avait été faite par la Dame, elle ne put répondre. On lui fit presque dire qu'elle s'était égarée, qu'une voiture l'avait recueillie et qu'elle n'avait pu désigner la demeure de ses parents ; qu'on l'avait emmenée dans une ville lointaine où de braves gens l'avaient chérie et élevée ; qu'ils étaient morts depuis peu et que, se souvenant enfin du pays où elle était née, elle avait trouvé une occasion favorable d'y revenir. « N'en parlons plus, dit sa mère. Soyons heureux de te revoir, ma petite fille, ma chérie, mon trésor. »

Andrès resta à dîner ; Marie était encore toute désorientée. La maison lui paraissait petite et obscure, elle s'étonnait de ses vêtements qui étaient simples et propres, mais qui lui paraissaient tout à fait étrangers ; elle considérait l'anneau à son doigt,

dessen Gold wundersam glänzte und einen rot brennenden Stein künstlich einfaßte. Auf die Frage des Vaters antwortete sie, daß der Ring ebenfalls ein Geschenk ihrer Wohltäter sei.

Sie freute sich auf die Schlafenszeit, und eilte zur Ruhe. Am andern Morgen fühlte sie sich besonnener, sie hatte ihre Vorstellungen mehr geordnet, und konnte den Leuten aus dem Dorfe, die alle sie zu begrüßen kamen, besser Red und Antwort geben. Andres war schon mit dem frühesten wieder da, und zeigte sich äußerst geschäftig, erfreut und dienstfertig. Das funfzehnjährige aufgeblühte Mädchen hatte ihm einen tiefen Eindruck gemacht, und die Nacht war ihm ohne Schlaf vergangen. Die Herrschaft ließ Marien auf das Schloß fordern, sie mußte hier wieder ihre Geschichte erzählen, die ihr nun schon geläufig geworden war; der alte Herr und die gnädige Frau bewunderten ihre gute Erziehung, denn sie war bescheiden, ohne verlegen zu sein, sie antwortete höflich und in guten Redensarten auf alle vorgelegten Fragen; die Furcht vor den vornehmen Menschen und ihrer Umgebung hatte sich bei ihr verloren, denn wenn sie diese Säle und Gestalten mit den Wundern und der hohen Schönheit maß, die sie bei den Elfen im heimlichen Aufenthalt gesehen hatte, so erschien ihr dieser irdische Glanz nur dunkel, die Gegenwart der Menschen fast geringe. Die jungen Herren waren vorzüglich über ihre Schönheit entzückt.

Es war im Februar. Die Bäume belaubten sich früher als je,

l'éclat mystérieux de l'or qui enchâssait une pierre aux feux rouges. À une question de son père, elle répondit que cette bague était un présent de ses bienfaiteurs.

Elle attendait impatiemment l'heure du sommeil, et elle se coucha en hâte. Le lendemain matin, elle se sentit moins égarée ; elle avait remis un peu d'ordre dans ses idées, et elle put répondre sans peine aux gens du village qui vinrent tous lui souhaiter la bienvenue. Andrès parut l'un des premiers ; il se montra fort empressé, heureux et serviable. La jeune fille, dans la fleur de ses quinze ans, lui avait fait une profonde impression et il avait passé une nuit sans sommeil. Les seigneurs firent venir Marie au château ; elle dut y répéter son histoire, que déjà elle débitait avec beaucoup de naturel. Le vieux comte et son épouse admirèrent sa bonne éducation, car elle était modeste sans être embarrassée, et elle répondait à toutes les questions par des phrases polies et joliment tournées. Toute timidité devant ces nobles personnes s'était évanouie chez elle ; car elle comparait ces salles et leurs habitants aux merveilles et à la belle Dame qu'elle avait vues pendant son secret séjour chez les Elfes ; et dès lors ces splendeurs terrestres lui paraissaient ternes, la présence des seigneurs était sans prestige. Les jeunes fils du comte furent ravis de sa beauté.

On était en février. Les feuilles des arbres parurent plus tôt que jamais,

so zeitig hatte sich die Nachtigall noch niemals
eingestellt, der Frühling kam schöner in das Land,
als ihn sich die ältesten Greise erinnern konnten.
Allerorten taten sich Bächlein hervor und tränk-
ten die Wiesen und Auen; die Hügel schienen
zu wachsen, die Rebengeländer erhuben sich
höher, die Obstbäume blühten wie niemals, und
ein schwellender duftender Segen hing schwer in
Blütenwolken über der Landschaft. Alles gedieh
über Erwarten, kein rauher Tag, kein Sturm
beschädigte die Frucht; der Wein quoll errötend in
ungeheuern Trauben, und die Einwohner des Ortes
staunten sich an, und waren wie in einem süßen
Traum befangen. Das folgende Jahr war ebenso,
aber man war schon an das Wundersame mehr
gewöhnt. Im Herbst gab Marie den dringenden
Bitten des Andres und ihrer Eltern nach : sie ward
seine Braut und im Winter mit ihm verheiratet.

Oft dachte sie mit inniger Sehnsucht an ihren
Aufenthalt hinter den Tannenbäumen zurück; sie
blieb still und ernst. So schön auch alles war, was
sie umgab, so kannte sie doch etwas noch Schö-
neres, wodurch eine leise Trauer ihr Wesen zu einer
sanften Schwermut stimmte. Schmerzhaft traf es
sie, wenn der Vater oder ihr Mann von den Zigeu-
nern und Schelmen sprachen, die ·im finstern
Grunde wohnten; oft wollte sie sie verteidigen, die
sie als Wohltäter der Gegend kannte, vorzüglich
gegen Andres, der eine Lust im eifrigen Schelten zu
finden schien,

les rossignols chantèrent bien avant le temps, le printemps fut plus beau que tous ceux que se rappelaient les doyens du village. On vit partout sourdre des filets d'eau qui abreuvèrent les prés et les champs ; les collines semblèrent grandir, les treilles devenir plus hautes ; les vergers fleurirent comme jamais on ne l'avait vu ; une exubérante fécondité plana en lourds et odorants nuages de pollen sur tout le pays. La prospérité dépassa toutes les attentes, il n'y eut pas un jour de vent et de tempête pour gâter les récoltes ; le vin rougit et gonfla des raisins énormes ; les villageois se regardaient avec stupéfaction et croyaient vivre en un doux rêve. L'année suivante fut aussi belle, mais on s'était déjà accoutumé au miracle. À l'automne, Marie céda aux instantes prières d'Andrès et de ses parents : elle lui accorda sa main et ils se marièrent en hiver.

Souvent elle se rappelait avec un profond sentiment de nostalgie son séjour derrière les sapins ; elle restait muette et grave. Si belles que fussent toutes choses autour d'elle, elle connaissait une beauté plus grande encore, et un regret étouffé disposait son cœur à une douce mélancolie. Elle ressentait une brusque douleur, lorsque son père ou son mari parlait des tziganes et des vagabonds qui vivaient dans le sombre vallon ; souvent, elle fut sur le point de les défendre, sachant qu'ils étaient les bienfaiteurs du pays, surtout lorsque Andrès semblait prendre plaisir à en parler sur un ton insultant ;

aber sie zwang das Wort jedesmal in ihre Brust
zurück. So verlebte sie das Jahr, und im folgenden
ward sie durch eine junge Tochter erfreut, welche
sie Elfriede nannte, indem sie dabei an den Namen
der Elfen dachte.

Die jungen Leute wohnten mit Martin und
Brigitte in demselben Hause, welches geräumig
genug war, und halfen den Eltern die ausgebrei-
tete Wirtschaft führen. Die kleine Elfriede zeigte
bald besondere Fähigkeiten und Anlagen, denn sie
lief sehr früh, und konnte alles sprechen, als sie
noch kein Jahr alt war; nach einigen Jahren aber
war sie so klug und sinnig, und von so wunder-
barer Schönheit, daß alle Menschen sie mit Erstaunen betrachteten, und ihre Mutter sich nicht
der Meinung erwehren konnte, sie sehe jenen
glänzenden Kindern im Tannengrunde ähnlich.
Elfriede hielt sich nicht gern zu andern Kindern, sondern vermied bis zur Ängstlichkeit ihre
geräuschvollen Spiele, und war am liebsten allein.
Dann zog sie sich in eine Ecke des Gartens zurück,
und las oder arbeitete eifrig am kleinen Näh-
zeuge; oft sah man sie auch wie tief in sich versun-
ken sitzen, oder daß sie in Gängen heftig auf und
nieder ging und mit sich selber sprach. Die beiden
Eltern ließen sie gern gewähren, weil sie gesund war
und gedieh, nur machten sie die seltsamen verstän-
digen Antworten und Bemerkungen oft besorgt. »So
kluge Kinder«, sagte die Großmutter Brigitte viel-
mals, »werden nicht alt, sie sind zu gut für diese
Welt,

mais à chaque fois elle réprimait ses paroles en son cœur. Elle passa ainsi une année ; et l'année suivante, elle eut la joie de mettre au monde une fille qu'elle appela Elfriede, en souvenir des Elfes.

Les jeunes gens vivaient avec Martin et Brigitte dans leur maison, qui était assez grande pour tous ; et ils travaillaient ensemble à exploiter le domaine agrandi. La petite Elfriede montra bientôt des dons et des dispositions extraordinaires ; elle sut marcher de très bonne heure et elle n'avait pas achevé sa première année qu'elle parlait à la perfection ; au bout de quelques années, elle était si intelligente, si judicieuse et d'une si merveilleuse beauté que tout le monde la considérait avec surprise, et sa mère ne pouvait se défendre de penser que la petite ressemblait aux adorables enfants du val aux sapins. Elfriede ne se mêlait pas volontiers aux autres enfants, elle évitait leurs jeux bruyants et préférait à tout la solitude. Elle se réfugiait souvent dans un coin du jardin et lisait ou cousait assidûment ; fréquemment aussi, on la voyait assise et comme absorbée profondément en elle-même, ou bien parcourant à grands pas les allées et se parlant sans cesse. Ses parents la laissaient faire, car elle était forte et robuste, mais souvent ses réponses ou ses remarques, étrangement pénétrantes, leur donnaient de l'inquiétude. « Les enfants aussi intelligents, répétait souvent Brigitte, la grand-mère, ne vivent pas longtemps, ils sont trop parfaits pour ce bas monde ;

auch ist das Kind über die Natur schön, und wird sich auf Erden nicht zurechtfinden können.«

Die Kleine hatte die Eigenheit, daß sie sich höchst ungern bedienen ließ, alles wollte sie selber machen. Sie war fast die früheste auf im Hause, und wusch sich sorgfältig und kleidete sich selber an; ebenso sorgsam war sie am Abend, sie achtete sehr darauf, Kleider und Wäsche selbst einzupacken, und durchaus niemand, auch die Mutter nicht, über ihre Sachen kommen zu lassen. Die Mutter sah ihr in diesem Eigensinne nach, weil sie sich nichts weiter dabei dachte, aber wie erstaunte sie, als sie sie an einem Feiertage, zu einem Besuch auf dem Schlosse, mit Gewalt umkleidete, sosehr sich auch die Kleine mit Geschrei und Tränen dagegen wehrte, und auf ihrer Brust an einem Faden hängend, ein Goldstück von seltsamer Form antraf, welches sie sogleich für eines von jenen erkannte, deren sie so viele in dem unterirdischen Gewölbe gesehn hatte. Die Kleine war sehr erschrocken, und gestand endlich, sie habe es im Garten gefunden, und da es ihr sehr wohlgefallen, habe sie es so emsig aufbewahrt; sie bat auch so dringend und herzlich, es ihr zu lassen, daß Marie es wieder auf derselben Stelle befestigte und voller Gedanken mit ihr stillschweigend zum Schlosse hinaufging.

Seitwärts vom Hause der Pachterfamilie lagen einige Wirtschaftsgebäude zur Aufbewahrung der Früchte und des Feldgerätes, und hinter diesen befand sich ein Grasplatz mit einer alten Laube, die aber kein Mensch jetzt besuchte,

et puis, la petite est d'une beauté qui n'est pas naturelle, elle ne s'accommodera pas de l'existence terrestre. »

L'enfant avait cette singularité qu'elle détestait être servie et voulait tout faire par elle-même. Elle se levait la première, se lavait soigneusement et s'habillait sans aucune aide ; elle prenait les mêmes soins le soir, tenait à plier elle-même ses robes et son linge, et ne permettait à personne, fût-ce à sa mère, de s'occuper de ses petites affaires. Sa mère lui passait ce caprice auquel elle n'attachait aucune importance ; mais quel fut son étonnement lorsqu'un jour, pour aller faire une visite au château, elle entreprit de changer les vêtements de la petite qui se débattit en pleurant et en criant : elle découvrit en effet, suspendue par un fil au cou de l'enfant, une pièce d'or de forme étrange, qu'elle reconnut aussitôt pour une de celles qu'elle avait vues dans le souterrain. La fillette, tout effrayée, finit par avouer qu'elle l'avait trouvée au jardin et que, comme elle lui avait paru fort jolie, elle l'avait jalousement gardée ; elle supplia sa mère de la lui laisser, avec tant d'ardeur et de gentillesse que Marie replaça le bijou au cou de sa fille ; puis elle monta avec elle au château, muette et perdue dans ses méditations.

Sur le côté de la maison de ferme se trouvaient divers bâtiments où on serrait les récoltes et les outils ; puis au-delà, une place gazonnée avec une vieille tonnelle où personne n'allait jamais

weil sie nach der neuen Einrichtung der Gebäude zu entfernt vom Garten war. In dieser Einsamkeit hielt sich Elfriede am liebsten auf, und es fiel niemanden ein, sie hier zu stören, so daß die Eltern oft in halben Tagen ihrer nicht ansichtig wurden. An einem Nachmittage befand sich die Mutter in den Gebäuden, um aufzuräumen und eine verlorene Sache wiederzufinden, als sie wahrnahm, daß durch eine Ritze der Mauer ein Lichtstrahl in das Gemach falle. Es kam ihr der Gedanke, hindurchzusehn, um ihr Kind zu beobachten, und es fand sich, daß ein locker gewordener Stein sich von der Seite schieben ließ, wodurch sie den Blick gerade hinein in die Laube gewann. Elfriede saß drinnen auf einem Bänkchen, und neben ihr die wohlbekannte Zerina, und beide Kinder spielten und ergötzten sich in holdseliger Eintracht. Die Elfe umarmte das schöne Kind und sagte traurig : »Ach, du liebes Wesen, so wie mit dir habe ich schon mit deiner Mutter gespielt, als sie klein war und uns besuchte, aber ihr Menschen wachst zu bald auf und werdet so schnell groß und vernünftig; das ist recht betrübt : bliebest du doch so lange ein Kind, wie ich!«

»Gern tät ich dir den Gefallen«, sagte Elfriede, »aber sie meinen ja alle, ich würde bald zu Verstande kommen, und gar nicht mehr spielen, denn ich hätte rechte Anlagen, altklug zu werden. Ach! und dann seh ich dich auch nicht wieder, du liebes Zerinchen! Ja, es geht wie mit den Baumblüten : wie herrlich der blühende Apfelbaum mit seinen rötlichen aufgequollenen Knospen!

parce que, depuis la transformation de la ferme, c'était trop loin du jardin. C'est ce lieu solitaire qu'Elfriede préférait à tout autre ; personne ne songeait à venir l'y déranger, et il se passait souvent des demi-journées sans que ses parents l'aperçussent. Une après-midi, la mère se trouvait dans le hangar où elle faisait de l'ordre et cherchait un objet égaré ; elle découvrit une fente dans le mur, par où filtrait un rayon de lumière. L'idée lui vint d'observer par là sa fillette ; elle déplaça un peu une pierre qui se trouvait déchaussée, et son regard tomba directement dans la tonnelle. Elfriede était assise sur un petit banc et, auprès d'elle, la Zerina de jadis ; les deux enfants jouaient et riaient avec une gracieuse bonne humeur. L'Elfe embrassa la belle fillette et lui dit tristement : « Ah, chérie, comme avec toi, j'ai joué jadis avec ta mère, lorsqu'elle était petite et qu'elle vint nous rendre visite ; mais, vous autres hommes, vous grandissez trop vite, vous devenez trop tôt raisonnables ; c'est bien attristant. Que ne restes-tu enfant aussi longtemps que moi !

— Je voudrais bien te faire ce plaisir, répondit Elfriede, mais ils disent tous que j'aurai bientôt l'âge de raison et que je ne jouerai plus ; j'ai, paraît-il, des dispositions à une sagesse prématurée. Hélas ! alors, je ne te reverrai plus, chère petite Zerinette ! Ce sera comme les fleurs des arbres : quelle merveille que le pommier fleuri, lorsque tous ses boutons roses viennent d'éclore.

der Baum tut so groß und breit, und jedermann, der drunterweg geht, meint auch, es müsse recht was Besonderes werden; dann kommt die Sonne, die Blüte geht so leutselig auf, und da steckt schon der böse Kern drunter, der nachher den bunten Putz verdrängt und hinunterwirft; nun kann er sich geängstigt und aufwachsend nicht mehr helfen, er muß im Herbst zur Frucht werden. Wohl ist ein Apfel auch lieb und erfreulich, aber doch nichts gegen die Frühlingsblüte : so geht es mit uns Menschen auch; ich kann mich nicht darauf freuen, ein großes Mädchen zu werden. Ach, könnt ich euch doch nur einmal besuchen!«

»Seit der König bei uns wohnt«, sagte Zerina, »ist es ganz unmöglich, aber ich komme ja so oft zu dir, Liebchen, und keiner sieht mich, keiner weiß es, weder hier noch dort; ungesehn geh ich durch die Luft, oder fliege als Vogel herüber; o wir wollen noch recht viel beisammen sein, solange du klein bist. Was kann ich dir nur zu Gefallen tun?«

»Recht lieb sollst du mich haben«, sagte Elfriede, »so lieb, wie ich dich in meinem Herzen trage; doch laß uns auch einmal wieder eine Rose machen.«

Zerina nahm das bekannte Schächtelchen aus dem Busen, warf zwei Körner hin, und plötzlich stand ein grünender Busch mit zweien hochroten Rosen vor ihnen, welche sich zueinanderneigten, und sich zu küssen schienen. Die Kinder brachen die Rosen lächelnd ab, und das Gebüsch war wieder verschwunden. »O müßte es nur nicht wieder so schnell sterben«, sagte Elfriede, »das rote Kind,

L'arbre s'enorgueillit et se rengorge, et à le voir, on s'attend en effet à des splendeurs infinies ; puis vient le soleil, les fleurs s'ouvrent bien gentiment, mais déjà se cache en elles la méchante graine qui va bousculer et disperser leur parure colorée ; anxieuse, elle ne peut arrêter sa croissance, il lui faut, à l'automne, devenir fruit. Sans doute la pomme est belle aussi et agréable à voir, mais qu'est-ce auprès de la fleur printanière ? Il en va ainsi de nous autres humains ; je ne puis me réjouir de devenir une grande jeune fille. Ah, que ne puis-je une fois au moins aller vous voir dans votre royaume !

— Depuis que le Roi réside parmi nous, répondit Zerina, c'est chose impossible ; mais je viens si souvent ici, chérie, et personne ne me voit, personne ne le sait, ni ici ni là-bas ; je traverse les airs, invisible, ou bien je me transforme en oiseau. Oh, soyons le plus possible ensemble, tant que tu seras enfant. Que puis-je faire pour ton bonheur ?

— M'aimer bien fort, dit Elfriede, me porter dans ton cœur comme je te porte dans le mien. Mais faisons encore une rose. »

Zerina tira de son corsage le même coffret que jadis, jeta deux grains d'or sur le sol, et soudain un buisson vert se leva sous leurs yeux, avec deux roses rouge vif, qui s'inclinèrent l'une vers l'autre, comme pour un baiser. Les enfants cueillirent les roses en souriant, et le buisson disparut. « Oh ! s'écria Elfriede, faut-il qu'elle meure aussi vite que les autres, cette rouge enfant,

das Wunder der Erde.« »Gib!« sagte die kleine Elfe, hauchte dreimal die aufknospende Rose an, und küßte sie dreimal; »nun«, sprach sie, indem sie die Blume zurückgab, »bleibt sie frisch und blühend bis zum Winter.«

»Ich will sie wie ein Bild von dir aufheben«, sagte Elfriede, »sie in meinem Kämmerchen wohl bewahren, und sie morgens und abends küssen, als wenn du es wärst.«

»Die Sonne geht schon unter«, sagte jene, »ich muß jetzt nach Hause.« Sie umarmten sich noch einmal, dann war Zerina verschwunden.

Am Abend nahm Marie ihr Kind mit einem Gefühl von Beängstigung und Ehrfurcht in die Arme; sie ließ dem holden Mädchen nun noch mehr Freiheit als sonst, und beruhigte oft ihren Gatten, wenn er, um das Kind aufzusuchen, kam, was er seit einiger Zeit wohl tat, weil ihm ihre Zurückgezogenheit nicht gefiel, und er fürchtete, sie könne darüber einfältig, oder gar unklug werden. Die Mutter schlich öfter nach der Spalte der Mauer, und fast immer fand sie die kleine glänzende Elfe neben ihrem Kinde sitzen, mit Spielen beschäftigt, oder in ernsthaften Gesprächen. »Möchtest du fliegen können?« fragte Zerina einmal ihre Freundin. »Wie gerne!« rief Elfriede aus. Sogleich umfaßte die Fee die Sterbliche, und schwebte mit ihr vom Boden empor, so daß sie zur Höhe der Laube stiegen. Die besorgte Mutter vergaß ihre Vorsicht, und lehnte sich erschreckend mit dem Kopfe hinaus, um ihnen nachzusehn;

cette merveille de la terre. — Donne ! » dit la petite Elfe qui souffla trois fois sur la rose à peine ouverte et la baisa trois fois. « Voilà, dit-elle en la rendant à son amie, maintenant elle restera fraîche et vivace jusqu'à l'hiver.

— Je la garderai comme un portrait de toi, dit Elfriede, je veux la conserver précieusement dans ma chambrette et la baiser matin et soir comme si c'était toi-même.

— Le soleil se couche déjà, reprit l'Elfe, il me faut rentrer. » Elles s'embrassèrent une fois encore, puis Zerina disparut.

Le soir, Marie prit son enfant dans ses bras avec un sentiment d'inquiétude et de respect. Dès lors, elle lui laissa plus de liberté encore et souvent elle tranquillisait son mari lorsqu'il se mettait en quête de l'enfant ; car depuis quelque temps, préoccupé de la voir vivre tellement à l'écart, il redoutait qu'elle ne restât peu éveillée ou que même elle n'y perdît son intelligence. La mère se glissait souvent à la fente du mur, et presque toujours elle trouvait la merveilleuse petite Elfe assise auprès de sa fille, en train de jouer ou bien de parler gravement. « Aimerais-tu voler ? demanda un jour Zerina. — Oh, oui ! » s'écria vivement Elfriede. Aussitôt, la petite fée enlaça la mortelle et l'enleva du sol jusqu'à la hauteur de la tonnelle. La mère, inquiète, en oublia toute prudence et pencha la tête en dehors pour les suivre des yeux ;

da erhob aus der Luft Zerina den Finger und drohte
lächelnd, ließ sich mit dem Kinde wieder nieder,
herzte sie, und war verschwunden. Es geschah
nachher noch öfter, daß Marie von dem wunderbaren Kinde gesehen wurde, welches jedesmal mit
dem Kopfe schüttelte oder drohte, aber mit freundlicher Gebärde.

Oftmals schon hatte bei vorgefallenem Streite
Marie im Eifer zu ihrem Manne gesagt: »Du tust
den armen Leuten in der Hütte Unrecht!« Wenn
Andres dann in sie drang, ihm zu erklären, warum
sie der Meinung aller Leute im Dorfe, ja der Herrschaft selber entgegen sei und es besser wissen
wolle, brach sie ab, und schwieg verlegen. Heftiger
als je ward Andres eines Tages nach Tische und
behauptete, das Gesindel müsse als landesverder-
blich durchaus fortgeschafft werden; da rief sie im
Unwillen aus: »Schweig, denn sie sind deine und
unser aller Wohltäter!« »Wohltäter?« fragte Andres
erstaunt; »die Landstreicher?« In ihrem Zorne ließ
sie sich verleiten, ihm unter dem Versprechen der
tiefsten Verschwiegenheit die Geschichte ihrer
Jugend zu erzählen, und da er bei jedem ihrer Worte
ungläubiger wurde und verhöhnend den Kopf
schüttelte, nahm sie ihn bei der Hand und führte
ihn in das Gemach, von wo er zu seinem Erstaunen
die leuchtende Elfe mit seinem Kinde in der Laube
spielen, und es liebkosen sah. Er wußte kein Wort
zu sagen; ein Ausruf der Verwunderung entfuhr
ihm, und Zerina erhob den Blick. Sie wurde plötzlich bleich und zitterte heftig,

avec un sourire, Zerina fit un geste menaçant du doigt, redescendit sur terre avec la fillette, l'embrassa et disparut. Il arriva souvent encore dans la suite que l'enfant merveilleuse aperçut Marie ; à chaque fois, elle hochait la tête et levait le doigt, mais cette menace s'accompagnait toujours d'un regard aimable.

Souvent déjà, lorsqu'une dispute était survenue, Marie avait dit vivement à son mari : « Tu es injuste pour les gens de la chaumière. » Mais lorsque Andrès la pressait de lui expliquer pourquoi elle voulait en savoir plus long que tout le monde et contredire l'opinion du village entier et des seigneurs eux-mêmes, elle coupait court à l'entretien et restait plongée dans un silence embarrassé. Andrès s'exprima plus vivement que jamais, un jour après le repas, affirmant que cette canaille nuisible au pays devrait être expulsée ; sa femme s'écria alors avec indignation : « Tais-toi, ce sont tes bienfaiteurs et nos bienfaiteurs à tous. — Nos bienfaiteurs ? fit Andrès au comble de la surprise. Ces vagabonds ? » Dans sa colère Marie se laissa aller à lui raconter sous le sceau du secret le plus complet l'histoire de son enfance ; et comme il se montrait plus incrédule à chacune de ses paroles et secouait la tête d'un air railleur, elle le prit par la main et le mena dans la pièce d'où, à son grand étonnement, il vit dans la tonnelle la merveilleuse Elfe jouer avec sa propre fille et la caresser. Il resta incapable de proférer une parole ; mais un cri de stupéfaction lui échappa ; Zerina leva la tête. Elle pâlit soudain, se mit à trembler de tous ses membres,

nicht freundlich, sondern mit zorniger Miene
machte sie die drohende Gebärde, und sagte dann
zu Elfrieden : »Du kannst nichts dafür, geliebtes
Herz, aber sie werden niemals klug, so verständig
sie sich auch dünken.« Sie umarmte die Kleine mit
stürmender Eil, und flog dann als Rabe mit hei-
serem Geschrei über den Garten hinweg, den Tannenbäumen zu.

Am Abend war die Kleine sehr still und küßte
weinend die Rose, Marien war ängstlich zu Sinne,
Andres sprach wenig. Es wurde Nacht. Plötzlich
rauschten die Bäume, Vögel flogen mit ängstli-
chem Geschrei umher, man hörte den Donner
rollen, die Erde zitterte und Klagetöne winselten in
der Luft. Marie und Andres hatten nicht den Mut
aufzustehn; sie hüllten sich in die Decken und
erwarteten mit Furcht und Zittern den Tag. Gegen
Morgen ward es ruhiger, und alles war still, als
die Sonne mit ihrem Lichte über den Wald her-
vordrang.

Andres kleidete sich an, und Marie bemerkte,
daß der Stein des Ringes an ihrem Finger ver-
blaßt war. Als sie die Tür öffneten, schien ihnen die
Sonne klar entgegen, aber die Landschaft umher
kannten sie kaum wieder. Die Frische des Waldes
war verschwunden, die Hügel hatten sich gesenkt,
die Bäche flossen matt mit wenigem Wasser, der
Himmel schien grau, und als man den Blick nach
den Tannen hinüberwandte, standen sie nicht fin-
strer oder trauriger da, als die übrigen Bäume; die
Hütten hinter ihnen hatten nichts Abschreckendes,

et fit son geste de menace, non point amicalement cette fois-ci, mais avec colère ; puis elle dit à Elfriede : « Tu n'y es pour rien, cher cœur, mais ils ne seront jamais sages, si raisonnables qu'ils puissent se croire. » Elle embrassa vivement la fillette puis, changée en corbeau, s'envola avec un rauque croassement et disparut dans la direction des sapins.

Le soir, la petite resta silencieuse ; elle baisait la rose en pleurant, Marie se sentait le cœur serré d'angoisse, Andrès parla à peine. La nuit vint. Soudain, les feuillages frissonnèrent, des oiseaux se mirent à voleter avec des cris anxieux, le tonnerre retentit, la terre tressaillit et des sons plaintifs gémirent dans les airs. Marie et Andrès n'eurent pas le courage de se lever ; ils s'enroulèrent dans leurs couvertures et attendirent l'aube en tremblant de peur. Vers le matin, la tempête se calma, et tout était paisible lorsque le soleil parut au-dessus de la forêt, répandant sa lumière joyeuse.

Andrès s'habilla et Marie remarqua que la pierre de sa bague avait pâli à son doigt. Lorsqu'ils ouvrirent la porte, le soleil était éclatant, mais ils reconnurent à peine le paysage familier. La forêt avait perdu ses fraîches couleurs, les collines s'étaient affaissées, les ruisseaux coulaient plus chichement, le ciel semblait gris ; et lorsqu'on tournait les yeux vers les sapins, ils n'étaient ni plus sombres ni plus tristes que les autres arbres ; les chaumières à leur pied n'avaient rien d'effrayant.

und mehrere Einwohner des Dorfes kamen und erzählten von der seltsamen Nacht, und daß sie über den Hof gegangen seien, wo die Zigeuner gewohnt, die wohl fortgegangen sein müßten, weil die Hütten leer ständen, und im Innern ganz gewöhnlich wie die Wohnungen andrer armen Leute aussähen; einiges vom Hausrat wäre zurückgeblieben. Elfriede sagte zu ihrer Mutter heimlich : »Als ich in der Nacht nicht schlafen konnte, und in der Angst bei dem Getümmel von Herzen betete, da öffnete sich plötzlich meine Tür, und herein trat meine Gespielin, um Abschied von mir zu nehmen. Sie hatte eine Reisetasche um, einen Hut auf ihrem Kopf, und einen großen Wanderstab in der Hand. Sie war sehr böse auf dich, weil sie deinetwegen nun die größten und schmerzhaftesten Strafen aushalten müsse, da sie dich doch immer so geliebt habe; denn alle, so wie sie sagte, verließen nur sehr ungern diese Gegend.«

Marie verbot ihr, davon zu sprechen, und indem kam auch der Fährmann vom Strome herüber, welcher Wunderdinge erzählte. Mit einbrechender Nacht war ein großer fremder Mann zu ihm gekommen, welcher ihm bis zu Sonnenaufgang die Fähre abgemietet habe, doch mit dem Bedingnis, daß er sich still zu Hause halten und schlafen, wenigstens nicht aus der Tür treten solle. »Ich fürchtete mich«, fuhr der Alte fort, »aber der seltsame Handel ließ mich nicht schlafen. Sacht schlich ich mich ans Fenster und schaute nach dem Strome.

Plusieurs villageois vinrent et parlèrent de cette étrange nuit ; certains racontèrent qu'ils avaient traversé la cour des tziganes, et que ceux-ci devaient être partis ; les chaumières étaient vides et les chambres étaient semblables aux habitations d'autres pauvres gens ; on y voyait encore quelques ustensiles de ménage. Elfriede prit sa mère à part et lui parla en secret : « Cette nuit, comme je ne pouvais dormir et que, terrifiée par le vacarme, je priais du fond de mon cœur, la porte s'ouvrit soudain, et ma petite compagne entra pour prendre congé de moi. Elle avait un sac de voyage, un chapeau sur la tête et un grand bâton à la main. Elle était fort irritée contre toi, car elle doit endurer pour toi, qu'elle a toujours tant aimée, les plus douloureux châtiments ; tous, à ce qu'elle m'a dit, quittent à regret cette contrée. »

Marie lui défendit de parler de cette visite ; le passeur du fleuve vint à son tour et raconta des choses étranges. À la nuit tombante, un inconnu de grande taille était venu le trouver et avait loué le bac jusqu'au lever du soleil, mais à la condition que le passeur se tiendrait tranquille chez lui et dormirait, ou que du moins il ne franchirait pas le seuil de sa maison. « J'avais grand-peur, poursuivit le vieillard, mais cette singulière négociation m'agitait l'esprit et m'empêchait de dormir ; sans bruit, je me glissai jusqu'à la fenêtre et je regardai vers la rivière.

Große Wolken trieben unruhig durch den Himmel
und die fernen Wälder rauschten bange; es war als
wenn meine Hütte bebte und Klagen und Winseln
um das Haus schlich. Da sah ich plötzlich ein
weißströmendes Licht, das breiter und immer
breiter wurde, wie viele tausend niedergefallene
Sterne, funkelnd und wogend bewegte es sich von
dem finstern Tannengrunde her, zog über das Feld,
und verbreitete sich nach dem Flusse hin. Da hörte
ich ein Trappeln, ein Klirren, ein Flüstern und
Säuseln näher und näher; es ging nach meiner
Fähre hin, hinein stiegen alle, große und kleine
leuchtende Gestalten, Männer und Frauen, wie es
schien, und Kinder, und der große fremde Mann
fuhr sie alle hinüber; im Strome schwammen neben
dem Fahrzeuge viel tausend helle Gebilde, in der
Luft flatterten Lichter und weiße Nebel, und alles
klagte und jammerte, daß sie so weit, weit reisen
müßten, aus der geliebten angewöhnten Gegend
fort. Der Ruderschlag und das Wasser rauschten
dazwischen, und dann war wieder plötzlich eine
Stille. Oft stieß die Fähre an, und kam zurück und
ward von neuem beladen, auch viele schwere
Gefäße nahmen sie mit, die gräßliche kleine Gesel-
len trugen und rollten; waren es Teufel, waren es
Kobolde, ich weiß es nicht. Dann kam im wogenden
Glanz ein stattlicher Zug. Ein Greis schien es, auf
einem weißen kleinen Rosse, um den sich alles
drängte; ich sah aber nur den Kopf des Pferdes,

De grands nuages passaient au ciel en une course folle, et les bois lointains faisaient entendre une rumeur terrible ; je crus sentir trembler ma maisonnette et s'élever alentour des plaintes et des gémissements. Soudain, je vis un torrent de lumière blanche qui se fit de plus en plus large, c'était comme des milliers d'étoiles tombées du ciel, cela scintillait et ondoyait du sombre val aux sapins, à travers champs, jusqu'au fleuve. J'entendis, de plus en plus proche, un trépignement et un cliquetis, un murmure et un susurrement ; ils se dirigeaient tous vers mon bac où ils s'embarquèrent, tous ces êtres lumineux, petits et grands, hommes et femmes, semblait-il, et enfants aussi. Le grand inconnu les passa sur l'autre rive ; dans le courant je vis nager autour du radeau des milliers et des milliers de formes lumineuses ; dans les airs flottaient des lumières et des brumes blanches. Et tous se plaignaient et se lamentaient de devoir entreprendre un si long voyage et quitter la contrée aimée et familière. Le battement des rames se mêlait à ces sons étranges, puis, soudain, il y avait des moments de silence. Le bac aborda bien des fois, revint et embarqua de nouveaux passagers ; ils y chargèrent aussi quantité de lourds vases que portaient et roulaient de hideux petits compagnons : des diables ou des kobolds, je ne sais. Puis s'avança, environné d'une éclatante auréole, un majestueux cortège. Tout semblait se presser autour d'un vieillard monté sur un petit cheval blanc ; mais je ne vis que la tête de la monture,

denn es war über und über mit kostbaren glänzenden Decken verhangen; auf dem Haupt trug der
Alte eine Krone, so daß ich dachte, als er hinüberge-
fahren, die Sonne wolle von dorten aufgehn, und
das Morgenrot funkle mir entgegen. So währte es
die ganze Nacht; ich schlief endlich in dem Gewirre
ein, zum Teil in Freude, zum Teil in Schauder. Am
Morgen war alles ruhig, aber der Fluß ist wie
weggelaufen, so daß ich Not haben werde mein
Fahrzeug zu regieren.«

Noch in demselben Jahre war ein Mißwachs, die
Wälder starben ab, die Quellen vertrockneten, und
dieselbe Gegend, die sonst die Freude jedes Durch-
reisenden gewesen war, stand im Herbst verödet,
nackt und kahl, und zeigte kaum hie und da noch
im Meere von Sand ein Plätzchen, wo Gras mit
fahlem Grün emporwuchs. Die Obstbäume gingen
alle aus, die Weinberge verdarben, und der Anblick
der Landschaft war so traurig, daß der Graf im
folgenden Jahre mit seiner Familie das Schloß verließ, welches nachher verfiel und zur Ruine wurde.

Elfriede betrachtete Tag und Nacht mit der
größten Sehnsucht ihre Rose und gedachte ihrer
Gespielin, und so wie die Blume sich neigte und
welkte, so senkte sie auch das Köpfchen, und war
schon vor dem Frühlinge verschmachtet. Marie
stand oft auf dem Platze vor der Hütte und beweinte
das entschwundene Glück. Sie verzehrte sich, wie
ihr Kind, und folgte ihm in einigen Jahren. Der alte
Martin zog mit seinem Schwiegersohne nach der
Gegend, in der er vormals gelebt hatte.

car elle était entièrement revêtue d'étoffes précieuses, étincelantes; le vieillard avait sur la tête
une couronne si fulgurante que je crus, quand il
eut passé le fleuve, que le soleil allait se lever là-bas
et que l'aurore m'envoyait ses rayons. Cela dura
toute la nuit; je m'endormis enfin, malgré le bruit,
partagé entre la joie et la peur. Au matin, tout était
tranquille, mais le fleuve semble s'être enfui et
j'aurai bien du mal à conduire mon bac. »

Cette année-là, la récolte fut très mauvaise, les
forêts dépérirent, les sources séchèrent, et cette
contrée qui avait toujours fait la joie des voyageurs
était à l'automne déserte, nue et désolée; on voyait
à peine encore, ici et là dans l'océan de sable, une
petite place où l'herbe poussait, d'un vert terni. Les
vergers moururent, les vignes pourrirent et l'aspect
du paysage était si triste que l'année suivante le
comte et sa famille quittèrent le château qui se
dégrada et resta une ruine.

Elfriede restait jour et nuit à regarder sa rose
avec un poignant regret, songeant à sa compagne
de jeux; et à mesure que la fleur se penchait et se
fanait, la tête de l'enfant s'inclinait aussi; elle
mourut de langueur avant la venue du printemps.
Marie se tenait souvent devant la chaumière et
pleurait le bonheur envolé. Elle se consumait
comme sa fille, et au bout de quelques années à
peine, elle la suivit au tombeau. Le vieux Martin
retourna avec son gendre dans le pays où il avait
passé ses jeunes ans.

Der blonde Eckbert

Eckbert le blond

In einer Gegend des Harzes wohnte ein Ritter, den man gewöhnlich nur den blonden Eckbert nannte. Er war ohngefähr vierzig Jahr alt, kaum von mittler Größe, und kurze hellblonde Haare lagen schlicht und dicht an seinem blassen eingefallenen Gesichte. Er lebte sehr ruhig für sich und war niemals in den Fehden seiner Nachbarn verwickelt, auch sah man ihn nur selten außerhalb den Ringmauern seines kleinen Schlosses. Sein Weib liebte die Einsamkeit ebensosehr, und beide schienen sich von Herzen zu lieben, nur klagten sie gewöhnlich darüber, daß der Himmel ihre Ehe mit keinen Kindern segnen wolle.

Nur selten wurde Eckbert von Gästen besucht, und wenn es auch geschah, so wurde ihretwegen fast nichts in dem gewöhnlichen Gange des Lebens geändert, die Mäßigkeit wohnte dort, und die Sparsamkeit selbst schien alles anzuordnen. Eckbert war alsdann heiter und aufgeräumt, nur wenn er allein war, bemerkte man an ihm eine gewisse Verschlossenheit, eine stille zurückhaltende Melancholie.

Dans les montagnes du Harz vivait un chevalier que l'on nommait simplement Eckbert le blond. Il pouvait avoir quarante ans, était à peine de taille moyenne, et une épaisse chevelure lisse, d'un blond très clair, encadrait son visage pâle et cave. Il menait une vie paisible et très retirée, ne se mêlant jamais aux querelles de ses voisins et franchissant rarement l'enceinte de son petit château. Son épouse partageait son goût pour la solitude ; un tendre amour semblait les unir, mais on les entendait souvent se plaindre que le Ciel n'eût pas béni leur union en leur donnant des enfants.

Il était rare qu'Eckbert eût des hôtes chez lui, et même alors il ne changeait guère son train de vie habituel ; la modestie régnait en ces lieux, et l'économie même semblait y présider à toutes choses. Eckbert se montrait alors souriant et enjoué, mais sitôt qu'il était seul, on lui voyait une espèce de réserve, de mélancolie taciturne et distante.

Niemand kam so häufig auf die Burg als Philipp Walther, ein Mann, dem sich Eckbert angeschlossen hatte, weil er an diesem ohngefähr dieselbe Art zu denken fand, der auch er am meisten zugetan war. Dieser wohnte eigentlich in Franken, hielt sich aber oft über ein halbes Jahr in der Nähe von Eckberts Burg auf, sammelte Kräuter und Steine, und beschäftigte sich damit, sie in Ordnung zu bringen, er lebte von einem kleinen Vermögen und war von niemand abhängig. Eckbert begleitete ihn oft auf seinen einsamen Spaziergängen, und mit jedem Jahre entspann sich zwischen ihnen eine innigere Freundschaft.

Es gibt Stunden, in denen es den Menschen ängstigt, wenn er vor seinem Freunde ein Geheimnis haben soll, was er bis dahin oft mit vieler Sorgfalt verborgen hat, die Seele fühlt dann einen unwiderstehlichen Trieb, sich ganz mitzuteilen, dem Freunde auch das Innerste aufzuschließen, damit er um so mehr unser Freund werde. In diesen Augenblicken geben sich die zarten Seelen einander zu erkennen, und zuweilen geschieht es wohl auch, daß einer vor der Bekanntschaft des andern zurückschreckt.

Es war schon im Herbst, als Eckbert an einem neblichten Abend mit seinem Freunde und seinem Weibe Bertha um das Feuer eines Kamines saß. Die Flamme warf einen hellen Schein durch das Gemach und spielte oben an der Decke, die Nacht sah schwarz zu den Fenstern herein, und die Bäume draußen schüttelten sich vor nasser Kälte.

L'hôte le plus assidu du manoir était Philippe Walther ; Eckbert s'était attaché à cet homme chez qui il retrouvait à peu près sa façon de penser coutumière. Cet ami avait sa demeure en Franconie, mais il lui arrivait de séjourner plus de six mois dans le voisinage du castel d'Eckbert ; il collectionnait des plantes, des pierres, et passait son temps à les classer ; il vivait d'une modeste fortune, et ne dépendait que de lui-même. Eckbert l'accompagnait souvent dans ses promenades solitaires, et d'année en année, leur amitié se fit plus intime.

Il est des heures où le cœur se serre à l'angoissante pensée de faire plus longtemps mystère à un ami du secret qu'on a mis tous ses soins à dissimuler jusqu'à cet instant ; l'âme se sent irrésistiblement portée à se découvrir tout entière, à donner à l'ami la clef du sanctuaire le plus intime, afin que son amitié en soit accrue encore. En de pareils instants, les êtres délicats se font connaître l'un à l'autre, et il arrive parfois que l'un des deux recule d'effroi devant les révélations de son ami.

L'automne déjà s'avançait ; par un soir de brouillard, Eckbert était assis avec son ami et Bertha, sa femme, devant un feu de cheminée. La flamme jetait une claire lueur dans la pièce et jouait au plafond, la nuit noire semblait pénétrer par les fenêtres, et dehors les arbres secouaient de leurs branches le froid humide du soir.

Walther klagte über den weiten Rückweg, den er
habe, und Eckbert schlug ihm vor, bei ihm zu
bleiben, die halbe Nacht unter traulichen Gesprächen hinzubringen, und dann in einem Gemache
des Hauses bis am Morgen zu schlafen. Walther
ging den Vorschlag ein, und nun ward Wein und die
Abendmahlzeit hereingebracht, das Feuer durch
Holz vermehrt, und das Gespräch der Freunde
heitrer und vertraulicher.

Als das Abendessen abgetragen war, und sich die
Knechte wieder entfernt hatten, nahm Eckbert die
Hand Walthers und sagte : »Freund, Ihr solltet Euch
einmal von meiner Frau die Geschichte ihrer Jugend
erzählen lassen, die seltsam genug ist.« — »Gern«,
sagte Walther, und man setzte sich wieder um den
Kamin.

Es war jetzt gerade Mitternacht, der Mond sah
abwechselnd durch die vorüberflatternden Wolken.
»Ihr müßt mich nicht für zudringlich halten«, fing
Bertha an, »mein Mann sagt, daß Ihr so edel denkt,
daß es unrecht sei, Euch etwas zu verhehlen. Nur
haltet meine Erzählung für kein Märchen, so son-
derbar sie auch klingen mag.

Ich bin in einem Dorfe geboren, mein Vater war
ein armer Hirte. Die Haushaltung bei meinen
Eltern war nicht zum besten bestellt, sie wußten
sehr oft nicht, wo sie das Brot hernehmen sollten.
Was mich aber noch weit mehr jammerte, war, daß
mein Vater und meine Mutter sich oft über ihre
Armut entzweiten, und einer dem andern dann bit-
tere Vorwürfe machte.

Walther se plaignant d'avoir à faire encore le long chemin du retour, Eckbert lui proposa de rester au manoir, de passer la moitié de la nuit à s'entretenir amicalement, et de dormir ensuite jusqu'au matin. Walther accepta l'offre, on apporta du vin et un souper, on ranima le feu de bois, la conversation des amis prit un tour plus enjoué et plus intime.

Lorsqu'on eut desservi et que les domestiques se furent retirés, Eckbert prit la main de Walther et lui dit : « Mon ami, vous devriez vous faire raconter une fois par ma femme l'histoire de son enfance, qui ne manque pas d'étrangeté. — Je ne demande pas mieux », répondit Walther, et on reprit place autour de la cheminée.

Il était minuit passé, la lune se montrait parfois entre les nuages chassés par le vent. « Je ne voudrais pas vous paraître importune, fit Bertha. Mais mon mari dit qu'à un aussi noble cœur que vous, il serait mal de cacher quelque chose. Si étrange que puisse paraître mon récit, ne le tenez pas pour un conte.

« Je suis née dans un village, mon père était un pauvre berger. Le ménage de mes parents n'était pas très prospère, et bien souvent ils ne savaient trop où trouver notre pain quotidien. Mais ce qui me tourmentait bien davantage, c'est que la misère faisait naître entre mon père et ma mère de fréquentes disputes où ils échangeaient les plus amers reproches.

Sonst hört ich beständig von mir, daß ich ein ein-
fältiges dummes Kind sei, das nicht das unbedeu-
tendste Geschäft auszurichten wisse, und wirklich
war ich äußerst ungeschickt und unbeholfen, ich
ließ alles aus den Händen fallen, ich lernte weder
nähen noch spinnen, ich konnte nichts in der
Wirtschaft helfen, nur die Not meiner Eltern verstand ich sehr gut. Oft saß ich dann im Winkel und
füllte meine Vorstellungen damit an, wie ich ihnen
helfen wollte, wenn ich plötzlich reich würde, wie
ich sie mit Gold und Silber überschütten und mich
an ihrem Erstaunen laben möchte, dann sah ich
Geister heraufschweben, die mir unterirdische
Schätze entdeckten, oder mir kleine Kiesel gaben,
die sich in Edelsteine verwandelten, kurz, die wun-
derbarsten Phantasien beschäftigten mich, und
wenn ich nun aufstehn mußte, um irgend etwas zu
helfen, oder zu tragen, so zeigte ich mich noch viel
ungeschickter, weil mir der Kopf von allen den
seltsamen Vorstellungen schwindelte.

Mein Vater war immer sehr ergrimmt auf mich,
daß ich eine so ganz unnütze Last des Hauswesens
sei, er behandelte mich daher oft ziemlich grausam,
und es war selten, daß ich ein freundliches Wort von
ihm vernahm. So war ich ungefähr acht Jahr alt
geworden, und es wurden nun ernstliche Anstalten
gemacht, daß ich etwas tun, oder lernen sollte.
Mein Vater glaubte, es wäre nur Eigensinn oder
Trägheit von mir, um meine Tage in Müßiggang
hinzubringen, genug,

Toute la sainte journée, j'entendais répéter que j'étais une sotte enfant, incapable d'accomplir le plus simple travail ; et j'avoue que j'étais d'une insigne maladresse : je laissais tomber tout ce qu'on me mettait dans les mains, je n'arrivais ni à coudre ni à filer, je n'en tendais rien aux travaux du ménage ; la seule chose que je comprisse était la pauvreté de mes parents. Souvent, assise dans un coin, je passais des heures à imaginer comment je leur viendrais en aide si un beau jour je devenais riche, comment je les couvrirais d'or et d'argent, prenant un plaisir délicieux à voir leur surprise ; je voyais m'apparaître alors des esprits ailés, qui me découvraient des trésors enfouis dans la terre ou bien me donnaient de petits cailloux qui se métamorphosaient en pierres précieuses ; en un mot, les plus merveilleuses rêveries occupaient mon esprit, et lorsqu'il fallait quitter ma cachette pour donner un coup de main ou porter quelque objet, je me montrais plus maladroite encore que de coutume ; toutes ces brillantes images me faisaient tourner la tête.

« Mon père se courrouçait fort et m'en voulait d'être une charge inutile pour la famille ; aussi me traitait-il très cruellement, et il était rare qu'il m'adressât une parole amicale. Je vécus ainsi jusqu'à l'âge de huit ans, peut-être, et on finit par prendre de sévères mesures pour me contraindre à apprendre quelque travail. Mon père, croyant que je voulais passer mes journées à flâner,

er setzte mir mit Drohungen unbeschreiblich zu, da diese aber doch nichts fruchteten, züchtigte er mich auf die grausamste Art, indem er sagte, daß diese Strafe mit jedem Tage wiederkehren sollte, weil ich doch nur ein unnützes Geschöpf sei.

Die ganze Nacht hindurch weint ich herzlich, ich fühlte mich so außerordentlich verlassen, ich hatte ein solches Mitleid mit mir selber, daß ich zu sterben wünschte. Ich fürchtete den Anbruch des Tages, ich wußte durchaus nicht, was ich anfangen sollte, ich wünschte mir alle mögliche Geschicklichkeit und konnte gar nicht begreifen, warum ich einfältiger sei, als die übrigen Kinder meiner Bekanntschaft. Ich war der Verzweiflung nahe.

Als der Tag graute, stand ich auf und eröffnete, fast ohne daß ich es wußte, die Tür unsrer kleinen Hütte. Ich stand auf dem freien Felde, bald darauf war ich in einem Walde, in den der Tag kaum noch hineinblickte. Ich lief immerfort, ohne mich umzusehn, ich fühlte keine Müdigkeit, denn ich glaubte immer, mein Vater würde mich noch wieder einholen, und, durch meine Flucht gereizt, mich noch grausamer behandeln.

Als ich aus dem Walde wieder heraustrat, stand die Sonne schon ziemlich hoch, ich sah jetzt etwas Dunkles vor mir liegen, welches ein dichter Nebel bedeckte. Bald mußte ich über Hügel klettern, bald durch einen zwischen Felsen gewundenen Weg gehn, und ich erriet nun, daß ich mich wohl in dem benachbarten Gebirge befinden müsse,

se mit à m'accabler des pires menaces ; comme
elles restaient infructueuses, il me battit impitoya-
blement, déclarant que cette cruelle correction se
répéterait chaque jour, ainsi que le méritait une
inutile créature.

« Je passai la nuit suivante à pleurer toutes les
larmes de mon cœur ; je me sentais si affreusement
délaissée, j'avais une si vive pitié envers moi-même
que je souhaitai mourir. Je redoutais la venue de
l'aube, je ne savais que faire, je désirais de tout mon
cœur l'habileté qui me manquait et je n'arrivais pas
à comprendre pourquoi j'étais tellement plus sotte
que tous les autres enfants. J'étais sur le point de
désespérer.

« Aux premières lueurs du jour, je me levai et
ouvris, sans presque m'en rendre compte, la porte
de notre pauvre chaumière. Je me trouvai en pleins
champs, et bientôt après dans une forêt où le jour
pénétrait à peine. Je courus sans reprendre haleine,
insensible à la fatigue, car je pensais sans cesse que
mon père allait me rejoindre et, irrité par ma fuite,
m'infliger des traitements plus cruels encore.

« Lorsque je parvins à la lisière de la forêt, le
soleil était déjà bien haut au-dessus de l'horizon ; je
voyais devant moi une masse sombre enveloppée
dans la brume. Il me fallut tantôt gravir une colline,
tantôt suivre un chemin tortueux entre des rochers,
et je devinai que je me trouvais sans doute dans les
montagnes voisines de notre village ;

worüber ich anfing mich in der Einsamkeit zu
fürchten. Denn ich hatte in der Ebene noch keine
Berge gesehn, und das bloße Wort Gebirge, wenn
ich davon hatte reden hören, war meinem kindischen
Ohr ein fürchterlicher Ton gewesen. Ich hatte nicht
das Herz zurückzugehn, meine Angst trieb mich
vorwärts; oft sah ich mich erschrocken um, wenn
der Wind über mir weg durch die Bäume fuhr, oder
ein ferner Holzschlag weit durch den stillen Morgen
hintönte. Als mir Köhler und Bergleute endlich
begegneten und ich eine fremde Aussprache hörte,
wäre ich vor Entsetzen fast in Ohnmacht gesunken.

Ich kam durch mehrere Dörfer und bettelte, weil
ich jetzt Hunger und Durst empfand, ich half mir
so ziemlich mit meinen Antworten durch, wenn ich
gefragt wurde. So war ich ohngefähr vier Tage fort-
gewandert, als ich auf einen kleinen Fußsteig geriet,
der mich von der großen Straße immer mehr ent-
fernte. Die Felsen um mich her gewannen jetzt eine
andre, weit seltsamere Gestalt. Es waren Klippen,
so aufeinandergepackt, daß es das Ansehn hatte, als
wenn sie der erste Windstoß durcheinanderwerfen
würde. Ich wußte nicht, ob ich weitergehn sollte.
Ich hatte des Nachts immer im Walde geschlafen,
denn es war gerade zur schönsten Jahrszeit, oder in
abgelegenen Schäferhütten; hier traf ich aber gar
keine menschliche Wohnung, und konnte auch
nicht vermuten, in dieser Wildnis auf eine zu
stoßen; die Felsen wurden immer furchtbarer,

je sentis une grande terreur m'envahir dans cette solitude. Car, ayant toujours vécu dans la plaine, je n'avais jamais vu de montagnes, et ce seul mot, lorsqu'on le prononçait devant moi, avait pour mes oreilles d'enfant une sonorité terrifiante. Je n'eus pas le courage de revenir sur mes pas, la peur me faisait aller de l'avant; souvent je me retournais, effrayée, lorsque le vent soufflait plus fort dans les arbres ou que la hache d'un bûcheron retentissait au loin dans le silence du matin. Au bout d'un certain temps, je rencontrai des charbonniers et des mineurs dont je remarquai l'accent étranger; je faillis m'évanouir de peur.

« Je traversai plusieurs villages et me mis à mendier, car la faim et la soif commençaient à se faire sentir; lorsqu'on me posait des questions, je m'en tirais tant bien que mal. J'errais ainsi depuis quatre jours peut-être, lorsque je m'engageai sur un petit sentier qui m'éloigna peu à peu de la grand-route. Les rochers, alentour, prenaient des formes nouvelles, de plus en plus étranges. C'étaient des blocs de pierre entassés de façon si désordonnée qu'on pouvait s'attendre à les voir s'écrouler au premier coup de vent. Je ne savais si je devais poursuivre ma route. J'avais passé toutes mes nuits dans la forêt, car on était au cœur de l'été, ou bien dans les cabanes isolées des bergers; mais maintenant, je ne voyais plus aucune habitation humaine, et il me semblait peu probable que je dusse en trouver dans ce désert; les rochers se faisaient toujours plus menaçants,

ich mußte oft dicht an schwindlichten Abgründen
vorbeigehn, und endlich hörte sogar der Weg unter
meinen Füßen auf. Ich war ganz trostlos, ich weinte
und schrie, und in den Felsentälern hallte meine
Stimme auf eine schreckliche Art zurück. Nun
brach die Nacht herein, und ich suchte mir eine
Moosstelle aus, um dort zu ruhn. Ich konnte nicht
schlafen; in der Nacht hörte ich die seltsamsten
Töne, bald hielt ich es für wilde Tiere, bald für den
Wind, der durch die Felsen klage, bald für fremde
Vögel. Ich betete, und ich schlief nur spät gegen
Morgen ein.

Ich erwachte, als mir der Tag ins Gesicht schien.
Vor mir war ein steiler Felsen, ich kletterte in der
Hoffnung hinauf, von dort den Ausgang aus der
Wildnis zu entdecken, und vielleicht Wohnungen
oder Menschen gewahr zu werden. Als ich aber
oben stand, war alles, so weit nur mein Auge reichte,
ebenso, wie um mich her, alles war mit einem neblichten Dufte überzogen, der Tag war grau und trübe,
und keinen Baum, keine Wiese, selbst kein Gebüsch
konnte mein Auge erspähn, einzelne Sträucher aus-
genommen, die einsam und betrübt in engen
Felsenritzen emporgeschossen waren. Es ist unbeschreiblich, welche Sehnsucht ich empfand, nur
eines Menschen ansichtig zu werden, wäre es auch,
daß ich mich vor ihm hätte fürchten müssen.
Zugleich fühlte ich einen peinigenden Hunger, ich
setzte mich nieder und beschloß zu sterben. Aber
nach einiger Zeit trug die Lust zu leben dennoch
den Sieg davon,

il me fallait souvent côtoyer des abîmes vertigineux,
et j'atteignis enfin un endroit où le chemin se per-
dait. Désespérée, je me pris à pleurer et à crier ; les
défilés rocheux me renvoyaient le terrifiant écho
de ma voix. La nuit tomba et je cherchai un lit de
mousse pour me reposer. Je ne pus dormir ; j'entendais dans la nuit des bruits étranges où je croyais
reconnaître tantôt les cris des bêtes sauvages, tantôt
la plainte du vent dans les gorges, ou parfois la voix
d'oiseaux inconnus. Je récitai des prières et ne
m'endormis que peu avant l'aube.

« Je fus éveillée par les premiers rayons du jour
sur mon visage. Un roc escarpé se dressait devant
moi ; je l'escaladai dans l'espoir de découvrir une
issue à cette solitude et d'apercevoir peut-être des
maisons ou des êtres humains. Mais lorsque je fus
au sommet, tout, à perte de vue, était semblable à
l'endroit où je me trouvais ; tout le pays était enveloppé de brume, le jour était gris et sombre ; mes
yeux aux aguets ne découvraient pas un arbre, pas
un pré, pas le moindre buisson, à peine quelques
misérables arbrisseaux, solitaires et désolés, qui
s'agrippaient aux fentes du roc. Je ne saurais expri-
mer la ferveur avec laquelle je souhaitai alors voir
un visage humain, dût-il m'emplir d'effroi. Je ressentais en même temps les tortures de la faim ; je
m'assis, résolue à mourir là. Mais bientôt le désir de
vivre l'emporta malgré tout ;

ich raffte mich auf und ging unter Tränen, unter
abgebrochenen Seufzern den ganzen Tag hindurch;
am Ende war ich mir meiner kaum noch bewußt,
ich war müde und erschöpft, ich wünschte kaum
noch zu leben, und fürchtete doch den Tod.

Gegen Abend schien die Gegend umher etwas
freundlicher zu werden, meine Gedanken, meine
Wünsche lebten wieder auf, die Lust zum Leben
erwachte in allen meinen Adern. Ich glaubte jetzt
das Gesause einer Mühle aus der Ferne zu hören,
ich verdoppelte meine Schritte, und wie wohl, wie
leicht ward mir, als ich endlich wirklich die Grenzen
der öden Felsen erreichte; ich sah Wälder und
Wiesen mit fernen angenehmen Bergen wieder vor
mir liegen. Mir war, als wenn ich aus der Hölle in
ein Paradies getreten wäre, die Einsamkeit und
meine Hülflosigkeit schienen mir nun gar nicht
fürchterlich.

Statt der gehofften Mühle stieß ich auf einen
Wasserfall, der meine Freude freilich um vieles
minderte; ich schöpfte mit der Hand einen Trunk
aus dem Bache, als mir plötzlich war, als höre ich
in einiger Entfernung ein leises Husten. Nie bin ich
so angenehm überrascht worden, als in diesem
Augenblick, ich ging näher und ward an der Ecke
des Waldes eine alte Frau gewahr, die auszuruhen
schien. Sie war fast ganz schwarz gekleidet und eine
schwarze Kappe bedeckte ihren Kopf und einen
großen Teil des Gesichtes, in der Hand hielt sie
einen Krückenstock.

Ich näherte mich ihr und bat um ihre Hülfe;

je me levai d'un bond et, pleurant et soupirant, je marchai toute la journée. Je finis par n'avoir plus que faiblement conscience de moi-même ; lasse, épuisée, c'est à peine si je souhaitais vivre encore, et pourtant j'avais peur de mourir.

« Vers le soir, le paysage sembla se faire un peu plus accueillant ; mes pensées, mes désirs renaquirent, le goût de vivre se réveilla dans toutes mes veines. Je crus entendre au loin le chantonnement d'un moulin, je hâtai le pas. Ah ! quel sentiment de bien-être, de légèreté me gagna, lorsque j'atteignis enfin l'issue de cette solitude rocailleuse ! Je vis s'étendre devant moi des bois et des prés bordés au loin de monts souriants. J'eus l'impression de quitter l'enfer pour entrer au paradis ; ma solitude et mon abandon n'avaient plus rien d'effrayant.

« Au lieu du moulin que j'espérais, je trouvai une cascade qui atténua fort ma joie ; je me penchais sur le ruisseau pour prendre dans ma main une gorgée d'eau, lorsque je crus entendre à quelque distance un léger toussotement. Jamais je n'ai connu aussi agréable surprise qu'à cet instant ; je fis quelques pas et j'aperçus au coin d'un bois une vieille femme qui paraissait se reposer. Elle était presque entièrement vêtue de noir ; une coiffe noire lui couvrait la tête et une grande partie du visage ; elle avait une béquille à la main.

« Je m'approchai et la priai de me venir en aide,

sie ließ mich neben sich niedersetzen und gab mir
Brot und etwas Wein. Indem ich aß, sang sie mit
kreischendem Ton ein geistliches Lied. Als sie
geendet hatte, sagte sie mir, ich möchte ihr folgen.

Ich war über diesen Antrag sehr erfreut, so
wunderlich mir auch die Stimme und das Wesen
der Alten vorkam. Mt ihrem Krückenstocke ging sie
ziemlich behende, und bei jedem Schritte verzog sie
ihr Gesicht so, daß ich im Anfange darüber lachen
mußte. Die wilden Felsen traten immer weiter
hinter uns zurück, wir gingen über eine angenehme
Wiese, und dann durch einen ziemlich langen Wald.
Als wir heraustraten, ging die Sonne gerade unter,
und ich werde den Anblick und die Empfindung
dieses Abends nie vergessen. In das sanfteste Rot
und Gold war alles verschmolzen, die Bäume
standen mit ihren Wipfeln in der Abendröte, und
über den Feldern lag der entzückende Schein, die
Wälder und die Blätter der Bäume standen still, der
reine Himmel sah aus wie ein aufgeschlossenes
Paradies, und das Rieseln der Quellen und von Zeit
zu Zeit das Flüstern der Bäume tönte durch die
heitre Stille wie in wehmütiger Freude. Meine junge
Seele bekam jetzt zuerst eine Ahnung von der
Welt und ihren Begebenheiten. Ich vergaß mich
und meine Führerin, mein Geist und meine Augen
schwärmten nur zwischen den goldnen Wolken.

Wir stiegen nun einen Hügel hinan, der mit
Birken bepflanzt war, von oben sah man in ein
grünes Tal voller Birken hinein, und unten mitten
in den Bäumen lag eine kleine Hütte.

elle me fit asseoir auprès d'elle, me donna du pain et un peu de vin. Tandis que je mangeais, elle se mit à chanter un cantique d'une voix criarde. Puis elle m'invita à la suivre.

« Cette proposition me ravit, si bizarres que me parussent la voix et les manières de la vieille. Avec sa béquille, elle était fort preste, et à chaque pas son visage grimaçait, si bien qu'au début je ne pouvais me tenir de rire. Les rochers sauvages restaient toujours plus loin en arrière ; nous traversâmes une délicieuse prairie, puis une grande forêt. Lorsque nous en sortîmes, le soleil se couchait ; de ma vie je n'oublierai le spectacle et la sensation de cette soirée. Toutes choses étaient fondues dans l'or et la pourpre les plus suaves, les cimes des arbres étaient baignées des rayons du couchant, une lumière très douce était épandue sur les champs, les feuillages étaient immobiles, le ciel en sa sérénité semblait être un paradis ouvert ; le murmure des sources, auquel se mêlait parfois le frémissement des arbres, passait dans le pur silence comme l'accent d'une joie mélancolique. Pour la première fois, mon âme juvénile avait le pressentiment du monde et de ses réalités. Je m'oubliais moi-même, j'oubliais la vieille ; mon esprit et mes yeux n'étaient plus que vagabonde extase parmi les nuages dorés.

« Nous gravîmes une colline plantée de bouleaux ; du sommet, le regard plongeait dans un vert vallon tout peuplé de bouleaux au milieu desquels j'aperçus une chaumière.

Ein munteres Bellen kam uns entgegen, und bald
sprang ein kleiner behender Hund die Alte an, und
wedelte, dann kam er zu mir, besah mich von allen
Seiten, und kehrte mit freundlichen Gebärden zur
Alten zurück.

Als wir vom Hügel heruntergingen, hörte ich
einen wunderbaren Gesang, der aus der Hütte zu
kommen schien, wie von einem Vogel, es sang also :

> *Waldeinsamkeit,*
> *Die mich erfreut,*
> *So morgen wie heut*
> *In ewger Zeit,*
> *O wie mich freut*
> *Waldeinsamkeit.*

Diese wenigen Worte wurden beständig wieder-
holt; wenn ich es beschreiben soll, so war es fast, als
wenn Waldhorn und Schalmeie ganz in der Ferne
durcheinanderspielen.

Meine Neugier war außerordentlich gespannt;
ohne daß ich auf den Befehl der Alten wartete,
trat ich mit in die Hütte. Die Dämmerung war
schon eingebrochen, alles war ordentlich aufgeräumt, einige Becher standen auf einem Wand-
schranke, fremdartige Gefäße auf einem Tische, in
einem glänzenden Käfig hing ein Vogel am Fenster,
und er war es wirklich, der die Worte sang. Die Alte
keichte und hustete, sie schien sich gar nicht wieder
erholen zu können,

Un aboiement joyeux nous accueillit et bientôt un petit chien vif et agile bondit au-devant de la vieille en agitant la queue ; puis il s'approcha de moi, m'examina et retourna vers la vieille en faisant mille grâces.

« Tandis que nous descendions le coteau, j'entendis un chant merveilleux, qui semblait venir de la chaumière ; une voix d'oiseau chantait :

> *Retraite des bois,*
> *Reste mes amours*
> *Demain et toujours,*
> *Éternel émoi,*
> *Ma joie, mes amours,*
> *Retraite des bois.*

« La voix répétait inlassablement ces quelques paroles ; s'il est possible de décrire cette impression, c'était un peu comme le cor et le chalumeau mêlant leurs accents dans le lointain.

« Je brûlais de curiosité ; sans attendre que la vieille m'y invitât, j'entrai dans la chaumière. Le crépuscule y jetait déjà ses ombres ; tout était dans un ordre parfait ; je vis quelques gobelets sur un buffet, des vases de forme inconnue sur une table, un oiseau dans une cage dorée suspendue devant la fenêtre. Et c'était bien lui qui chantait les paroles que je venais d'entendre. La vieille soufflait et toussait, ne parvenant pas à reprendre haleine ;

bald streichelte sie den kleinen Hund, bald sprach
sie mit dem Vogel, der ihr nur mit seinem gewöhnlichen Liede Antwort gab; übrigens tat sie gar nicht,
als wenn ich zugegen wäre. Indem ich sie so betrachtete, überlief mich mancher Schauer: denn ihr
Gesicht war in einer ewigen Bewegung, indem sie
dazu wie vor Alter mit dem Kopfe schüttelte, so daß
ich durchaus nicht wissen konnte, wie ihr eigentli-
ches Aussehn beschaffen war.

Als sie sich erholt hatte, zündete sie Licht an,
deckte einen ganz kleinen Tisch und trug das
Abendessen auf. Jetzt sah sie sich nach mir um, und
hieß mir einen von den geflochtenen Rohrstühlen
nehmen. So saß ich ihr nun dicht gegenüber und
das Licht stand zwischen uns. Sie faltete ihre
knöchernen Hände und betete laut, indem sie ihre
Gesichtsverzerrungen machte, so daß es mich
beinahe wieder zum Lachen gebracht hätte; aber
ich nahm mich sehr in acht, um sie nicht zu erbosen.

Nach dem Abendessen betete sie wieder, und
dann wies sie mir in einer niedrigen und engen Kammer ein Bett an; sie schlief in der Stube. Ich blieb
nicht lange munter, ich war halb betäubt, aber in
der Nacht wachte ich einigemal auf, und dann hörte
ich die Alte husten und mit dem Hunde sprechen,
und den Vogel dazwischen, der im Traum zu sein
schien, und immer nur einzelne Worte von seinem
Liede sang. Das machte mit den Birken, die vor dem
Fenster rauschten, und mit dem Gesang einer ent-
fernten Nachtigall ein so wunderbares Gemisch, daß
es mir immer nicht war, als sei ich erwacht,

tantôt elle caressait le petit chien et tantôt parlait à l'oiseau qui lui répondait toujours par la même chanson ; du reste, elle semblait avoir oublié ma présence. En l'observant, je fus prise de frissons de peur, car les traits de son visage étaient sans cesse en mouvement, tandis qu'elle branlait la tête, sans doute à cause de son très grand âge ; et je ne parvenais pas à reconnaître la véritable forme de ses traits.

« Après s'être un peu reposée, elle alluma la lampe, mit le couvert sur une toute petite table et servit le repas du soir. Elle se tourna enfin vers moi et me dit de prendre une chaise de jonc. Je me trouvai donc assise en face et tout près d'elle, la lampe entre nous. Elle joignit ses mains noueuses et récita une prière à haute voix tout en grimaçant, si bien que je faillis de nouveau éclater de rire ; mais je me contins pour ne pas la fâcher.

« Le repas achevé, elle prononça une nouvelle prière, puis m'indiqua un lit dans une chambrette basse ; elle-même dormait dans la grande chambre. Je ne tardai pas à m'endormir, écrasée de fatigue, mais au cours de la nuit je m'éveillai deux ou trois fois ; et toujours j'entendais la vieille tousser et parler à son chien, tandis que l'oiseau, qui semblait rêver, ne chantait plus de sa chanson que des mots isolés. Avec le murmure des bouleaux devant la fenêtre et le chant lointain d'un rossignol, cela faisait une si étrange impression qu'il ne me semblait pas être éveillée,

sondern als fiele ich nur in einen andern noch selt-
samem Traum.

Am Morgen weckte mich die Alte, und wies mich
bald nachher zur Arbeit an. Ich mußte spinnen, und
ich begriff es auch bald, dabei hatte ich noch für
den Hund und für den Vogel zu sorgen. Ich lernte
mich schnell in die Wirtschaft finden, und alle
Gegenstände umher wurden mir bekannt; nun war
mir, als müßte alles so sein, ich dachte gar nicht
mehr daran, daß die Alte etwas Seltsames an sich
habe, daß die Wohnung abenteuerlich und von allen
Menschen entfernt liege, und daß an dem Vogel
etwas Außerordentliches sei. Seine Schönheit fiel
mir zwar immer auf, denn seine Federn glänzten
mit allen möglichen Farben, das schönste Hellblau
und das brennendste Rot wechselten an seinem
Halse und Leibe, und wenn er sang, blähte er sich
stolz auf, so daß sich seine Federn noch prächtiger
zeigten.

Oft ging die Alte aus und kam erst am Abend
zurück, ich ging ihr dann mit dem Hunde entgegen,
und sie nannte mich Kind und Tochter. Ich ward
ihr endlich von Herzen gut, wie sich unser Sinn
denn an alles, besonders in der Kindheit, gewöhnt.
In den Abendstunden lehrte sie mich lesen, ich
fand mich leicht in die Kunst, und es ward nachher
in meiner Einsamkeit eine Quelle von unendlichem
Vergnügen, denn sie hatte einige alte geschriebene
Bücher, die wunderbare Geschichten enthielten.

Die Erinnerung an meine damalige Lebensart ist
mir noch bis jetzt immer seltsam ·

mais tomber d'un songe dans un autre songe plus mystérieux encore.

« Le lendemain matin, la vieille m'éveilla et m'indiqua mon travail. Je devais filer, et j'eus tôt fait de m'y mettre ; j'avais en outre à soigner l'oiseau et le chien. Je fus vite au courant du ménage, et tous les objets me devinrent familiers ; il me parut bientôt que tout devait nécessairement être ainsi et j'oubliai que la vieille avait quelque chose de singulier, que sa maison était extraordinaire et éloignée de tous les humains, que l'oiseau n'était pas une créature tout à fait naturelle. Sa beauté, pourtant, me frappait toujours, car ses plumes étincelaient de toutes les couleurs possibles, le bleu le plus tendre et le rouge le plus ardent paraient sa gorge et son corps ; et lorsqu'il chantait, il se rengorgeait si fièrement que ses ailes paraissaient plus magnifiques encore.

« Souvent, la vieille sortait pour ne revenir qu'au soir ; j'allais au-devant d'elle avec le chien, et elle m'appelait son enfant, sa fille. Je l'aimais de tout mon cœur, car, dans l'enfance surtout, nos sentiments s'attachent à tout ce qui nous entoure. Pendant les veillées, elle m'apprenait à lire, j'y parvins aisément, et ce fut ensuite dans ma solitude la source de plaisirs infinis, car la vieille possédait quelques vieux livres manuscrits, tout pleins d'histoires merveilleuses.

« Aujourd'hui encore, le souvenir de la vie que je menais là me fait un effet d'étrangeté ;

von keinem menschlichen Geschöpfe besucht, nur
in einem so kleinen Familienzirkel einheimisch,
denn der Hund und der Vogel machten denselben
Eindruck auf mich, den sonst nur längst gekannte
Freunde hervorbringen. Ich habe mich immer nicht
wieder auf den seltsamen Namen des Hundes besinnen können, sooft ich ihn auch damals nannte.

Vier Jahre hatte ich so mit der Alten gelebt, und
ich mochte ohngefähr zwölf Jahr alt sein, als sie mir
endlich mehr vertraute, und mir ein Geheimnis
entdeckte. Der Vogel legte nämlich an jedem Tage
ein Ei, in dem sich eine Perl oder ein Edelstein
befand. Ich hatte schon immer bemerkt, daß sie
heimlich in dem Käfige wirtschafte, mich aber nie
genauer darum bekümmert. Sie trug mir jetzt das
Geschäft auf, in ihrer Abwesenheit diese Eier zu
nehmen und in den fremdartigen Gefäßen wohl zu
verwahren. Sie ließ mir meine Nahrung zurück, und
blieb nun länger aus, Wochen, Monate; mein Rädchen schnurrte, der Hund bellte, der wunderbare
Vogel sang und dabei war alles so still in der Gegend
umher, daß ich mich in der ganzen Zeit keines Sturm-
windes, keines Gewitters erinnere. Kein Mensch
verirrte sich dorthin, kein Wild kam unserer Behau-
sung nahe, ich war zufrieden und arbeitete mich von
einem Tage zum andern hinüber. — Der Mensch
wäre vielleicht recht glücklich, wenn er so ungestört
sein Leben bis ans Ende fortfahren könnte.

Aus dem wenigen, was ich las, bildete ich mir
ganz wunderliche Vorstellungen von der Welt und
den Menschen,

je ne voyais jamais un être humain et ne connaissais qu'un tout petit cercle familial ; car le chien et l'oiseau étaient pour moi ce que sont d'ordinaire les amis les meilleurs et les plus anciens. Je n'ai jamais pu, depuis lors, me rappeler l'étrange nom du chien, que pourtant je prononçais à tout instant.

« J'avais vécu ainsi quatre ans chez la vieille, et je pouvais avoir une douzaine d'années, lorsqu'un jour, mise en confiance, elle me révéla un secret : l'oiseau pondait chaque jour un œuf qui renfermait une perle ou une pierre précieuse. J'avais observé souvent qu'elle fouillait furtivement dans la cage, mais je n'y avais guère pris garde. Elle me chargea alors de recueillir ces œufs en son absence et de les déposer soigneusement dans les vases aux formes singulières que j'avais aperçus dès le premier jour. Elle me remit des provisions et resta longtemps absente, des semaines, des mois ; mon rouet fredonnait, le chien aboyait, l'oiseau merveilleux chantait et il régnait une telle paix sur la campagne environnante que je ne me souviens pas d'un seul jour de vent ou d'orage pendant tout ce temps-là. Aucun être humain ne s'égarait dans cette contrée, jamais une bête sauvage ne s'approchait de la maisonnette, j'étais heureuse et les jours passaient à travailler, l'un après l'autre... L'homme connaîtrait peut-être le bonheur s'il pouvait poursuivre ainsi jusqu'à la fin une existence que rien ne peut troubler.

« Je puisais dans mes rares lectures de singulières images du monde et de l'humanité,

alles war von mir und meiner Gesellschaft her-
genommen : wenn von lustigen Leuten die Rede
war, konnte ich sie mir nicht anders vorstellen wie
den kleinen Spitz, prächtige Damen sahen immer
wie der Vogel aus, alle alte Frauen wie meine wunderliche Alte. Ich hatte auch von Liebe etwas
gelesen, und spielte nun in meiner Phantasie seltsame Geschichten mit mir selber. Ich dachte mir
den schönsten Ritter von der Welt, ich schmückte
ihn mit allen Vortrefflichkeiten aus, ohne eigentlich
zu wissen, wie er nun nach allen meinen Bemü-
hungen aussah — aber ich konnte ein rechtes
Mitleid mit mir selber haben, wenn er mich nicht
wieder liebte; dann sagte ich lange rührende Reden
in Gedanken her, zuweilen auch wohl laut, um ihn
nur zu gewinnen. — Ihr lächelt! wir sind jetzt
freilich alle über diese Zeit der Jugend hinüber.

Es war mir jetzt lieber, wenn ich allein war, denn
alsdann war ich selbst die Gebieterin im Hause.
Der Hund liebte mich sehr und tat alles was ich
wollte, der Vogel antwortete mir in seinem Liede auf
alle meine Fragen, mein Rädchen drehte sich immer
munter, und so fühlte ich im Grunde nie einen
Wunsch nach Veränderung. Wenn die Alte von ihren
langen Wanderungen zurückkam, lobte sie meine
Aufmerksamkeit, sie sagte, daß ihre Haushaltung,
seit ich dazugehöre, weit ordentlicher geführt werde,
sie freute sich über mein Wachstum und mein
gesundes Aussehn, kurz, sie ging ganz mit mir wie
mit einer Tochter um.

me représentant tout d'après moi-même et mon entourage : lorsqu'il était question de gens gais, je ne pouvais me les représenter que semblables au petit chien ; les belles dames ressemblaient toujours à l'oiseau, toutes les vieilles femmes avaient le visage de ma bizarre vieille. J'avais lu aussi des histoires d'amour et mon imagination faisait de moi l'héroïne de contes étranges. Je me représentais le plus beau chevalier du monde, je le parais de toutes les vertus, sans trop savoir, après tant de soins, quelle figure il pouvait bien avoir : mais je m'apitoyais très sincèrement sur moi-même lorsque je songeais qu'il ne répondait pas à mon amour ; je lui adressais alors en pensée, et parfois même tout haut, de longs et touchants discours qui ne pouvaient manquer de me gagner son cœur... Vous souriez ! oui, sans doute, nous avons tous dépassé depuis longtemps cette époque juvénile.

« Je préférais maintenant rester seule, car alors j'étais la maîtresse au logis. Le chien m'aimait beaucoup et faisait tout ce que je voulais ; l'oiseau donnait sa chanson pour réponse à toutes mes questions, mon rouet tournait toujours gaiement, et au fond je n'éprouvais jamais le moindre désir de changement. Lorsque la vieille rentrait de ses longs voyages, elle me louait de mon exactitude, déclarait qu'il y avait beaucoup plus d'ordre dans son ménage depuis que j'étais là, prenait plaisir à me voir grandie et robuste ; bref, elle me traitait tout à fait comme sa propre fille.

›Du bist brav, mein Kind!‹ sagte sie einst zu mir
mit einem schnurrenden Tone; ›wenn du so fort-
fährst, wird es dir auch immer gut gehn: aber nie
gedeiht es, wenn man von der rechten Bahn
abweicht, die Strafe folgt nach, wenn auch noch so
spät.‹ — Indem sie das sagte, achtete ich eben nicht
sehr darauf, denn ich war in allen meinen Bewe-
gungen und meinem ganzen Wesen sehr lebhaft;
aber in der Nacht fiel es mir wieder ein, und ich
konnte nicht begreifen, was sie damit hatte sagen
wollen. Ich überlegte alle Worte genau, ich hatte
wohl von Reichtümern gelesen, und am Ende fiel
mir ein, daß ihre Perlen und Edelsteine wohl etwas
Kostbares sein könnten. Dieser Gedanke wurde mir
bald noch deutlicher. Aber was konnte sie mit der
rechten Bahn meinen? Ganz konnte ich den Sinn
ihrer Worte noch immer nicht fassen.

Ich war jetzt vierzehn Jahr alt, und es ist ein
Unglück für den Menschen, daß er seinen Verstand
nur darum bekömmt, um die Unschuld seiner Seele
zu verlieren. Ich begriff nämlich wohl, daß es nur
auf mich ankomme, in der Abwesenheit der Alten
den Vogel und die Kleinodien zu nehmen, und
damit die Welt, von der ich gelesen hatte, aufzusuchen. Zugleich war es mir dann vielleicht möglich,
den überaus schönen Ritter anzutreffen, der mir
immer noch im Gedächtnisse lag.

Im Anfange war dieser Gedanke nichts weiter
als jeder andre Gedanke, aber wenn ich so an meinem Rade saß, so kam er mir immer wieder Willen
zurück,

« "Tu es bien sage, mon enfant, me dit-elle un jour de sa voix criarde. Si tu continues ainsi, tout ira bien pour toi ; mais on n'arrive jamais à rien en s'écartant de la bonne voie, le châtiment vient tôt ou tard." Tandis qu'elle parlait, je ne prêtai pas grande attention, car j'étais extrêmement vive dans tous mes mouvements et toutes mes manières ; mais pendant la nuit, ses paroles me revinrent à l'esprit, et je ne parvins pas à comprendre ce qu'elle avait voulu dire. Je méditai chacune de ses paroles ; mes livres m'avaient parlé de richesses, et je finis par deviner que les perles et les pierreries de la vieille pouvaient bien être d'un grand prix. Cette idée se précisa bientôt. Mais qu'entendait-elle donc par la bonne voie ? Je n'arrivais toujours pas à saisir le sens de son discours.

« J'avais quatorze ans maintenant ; c'est pour l'homme une grande infortune qu'il n'acquière la raison que pour perdre l'innocence de son âme. Je compris fort bien qu'il ne tenait qu'à moi de m'approprier, en l'absence de la vieille, l'oiseau et les joyaux, et de m'en aller voir le monde dont me parlaient mes lectures. Peut-être aurais-je ainsi la chance de rencontrer le chevalier de toute beauté dont ma mémoire gardait l'image.

« Au début, cette pensée fut semblable à toute autre pensée ; mais lorsque j'étais assise devant mon rouet, elle se représentait sans cesse à mon esprit,

und ich verlor mich so in ihm, daß ich mich schon herrlich geschmückt sah, und Ritter und Prinzen um mich her. Wenn ich mich so vergessen hatte, konnte ich ordentlich betrübt werden, wenn ich wieder aufschaute, und mich in der kleinen Wohnung antraf. Übrigens, wenn ich meine Geschäfte tat, bekümmerte sich die Alte nicht weiter um mein Wesen.

An einem Tage ging meine Wirtin wieder fort, und sagte mir, daß sie diesmal länger als gewöhnlich ausbleiben werde, ich solle ja auf alles ordentlich achtgeben und mir die Zeit nicht lang werden lassen. Ich nahm mit einer gewissen Bangigkeit von ihr Abschied, denn es war mir, als würde ich sie nicht wiedersehn. Ich sah ihr lange nach und wußte selbst nicht, warum ich so beängstigt war; es war fast, als wenn mein Vorhaben schon vor mir stände, ohne mich dessen deutlich bewußt zu sein.

Nie hab ich des Hundes und des Vogels mit einer solchen Emsigkeit gepflegt, sie lagen mir näher am Herzen, als sonst. Die Alte war schon einige Tage abwesend, als ich mit dem festen Vorsatze aufstand, mit dem Vogel die Hütte zu verlassen, und die sogenannte Welt aufzusuchen. Es war mir enge und bedrängt zu Sinne, ich wünschte wieder dazubleiben, und doch war mir der Gedanke widerwärtig; es war ein seltsamer Kampf in meiner Seele, wie ein Streiten von zwei widerspenstigen Geistern in mir. In einem Augenblicke kam mir die ruhige Einsamkeit so schön vor,

et je m'y abîmais si bien que je me voyais déjà magnifiquement parée, entourée de chevaliers et de princes. Après ces moments d'oublieuse rêverie, je ressentais une véritable déception lorsque, levant les yeux, je me retrouvais dans mon étroit logis. D'ailleurs, pourvu que je m'acquittasse de ma besogne, la vieille ne se souciait guère de ce qui pouvait se passer en moi.

« Un jour, elle partit de nouveau en voyage, et me dit que cette fois-ci son absence serait plus longue qu'à l'ordinaire ; elle m'encouragea à ne rien négliger dans le ménage et à ne pas trouver le temps long. Je lui dis adieu avec quelque angoisse, car j'avais l'impression que je ne devais plus la revoir. Longtemps je la suivis des yeux, sans savoir moi-même la cause de mon émoi ; il semblait presque que mon projet fût déjà en moi, sans que j'en eusse conscience.

« Je soignai le chien et l'oiseau avec une sollicitude inaccoutumée ; jamais je ne les avais tant aimés. La vieille était partie depuis quelques jours déjà, lorsque soudain je me levai dans la ferme intention de quitter la chaumière avec l'oiseau et de parcourir ce qu'on appelle le monde. J'éprouvai un sentiment d'anxiété et d'oppression ; le désir me revint de rester là, et pourtant cette idée me pesait ; il se livrait en mon âme un étrange combat, comme une querelle de deux esprits récalcitrants. Durant un instant, la paisible solitude me paraissait la plus belle chose du monde,

dann entzückte mich wieder die Vorstellung einer neuen Welt, mit allen ihren wunderbaren Mannigfaltigkeiten.

Ich wußte nicht, was ich aus mir selber machen sollte, der Hund sprang mich unaufhörlich an, der Sonnenschein breitete sich munter über die Felder aus, die grünen Birken funkelten : ich hatte die Empfindung, als wenn ich etwas sehr Eiliges zu tun hätte, ich griff also den kleinen Hund, band ihn in der Stube fest, und nahm dann den Käfig mit dem Vogel unter den Arm. Der Hund krümmte sich und winselte über diese ungewohnte Behandlung, er sah mich mit bittenden Augen an, aber ich fürchtete mich, ihn mit mir zu nehmen. Noch nahm ich eins von den Gefäßen, das mit Edelsteinen angefüllt war, und steckte es zu mir, die übrigen ließ ich stehn.

Der Vogel drehte den Kopf auf eine wunderliche Weise, als ich mit ihm zur Tür hinaustrat, der Hund strengte sich sehr an, mir nachzukommen, aber er mußte zurückbleiben.

Ich vermied den Weg nach den wilden Felsen und ging nach der entgegengesetzten Seite. Der Hund bellte und winselte immerfort, und es rührte mich recht inniglich, der Vogel wollte einigemal zu singen anfangen, aber da er getragen ward, mußte es ihm wohl unbequem fallen.

So wie ich weiter ging, hörte ich das Bellen immer schwächer, und endlich hörte es ganz auf. Ich weinte und wäre beinahe wieder umgekehrt, aber die Sucht etwas Neues zu sehn, trieb mich vorwärts.

mais l'instant d'après je me représentais avec ravissement un monde nouveau et ses mille merveilles diverses.

« Je ne savais que faire de ma personne ; le chien ne cessait de sauter de joie autour de moi, le soleil illuminait la plaine, le feuillage des bouleaux se parait d'un éclat métallique : j'eus soudain la sensation que j'avais quelque chose de très pressant à faire. Je saisis donc le chien et l'attachai solidement dans la chaumière ; puis je pris la cage avec l'oiseau sous le bras. Le chien, surpris de ce traitement, se débattait, gémissait, levait sur moi des yeux suppliants ; mais je n'eus pas le courage de l'emmener. Je pris encore un des vases, qui était plein de pierreries, laissant là les autres.

« L'oiseau tourna la tête de façon singulière lorsque je franchis le seuil avec lui ; le chien fit des efforts désespérés pour me suivre, mais il dut se résigner à rester là.

« J'évitai le chemin qui conduisait vers les rochers sauvages et pris la direction opposée. Le chien ne cessait d'aboyer et de gémir, et ces appels me fendaient le cœur ; l'oiseau tenta deux ou trois fois de chanter, mais, cahoté dans sa cage, il n'y parvint pas.

« À mesure que j'avançais, les jappements se faisaient plus faibles, et ils finirent par se taire. Je me mis à pleurer, et je fus tentée de rentrer, mais le désir de voir des pays nouveaux me fit poursuivre ma route.

Schon war ich über Berge und durch einige
Wälder gekommen, als es Abend ward, und ich in
einem Dorfe einkehren mußte. Ich war sehr blöde,
als ich in die Schenke trat, man wies mir eine Stube
und ein Bette an, ich schlief ziemlich ruhig, nur daß
ich von der Alten träumte, die mir drohte.

Meine Reise war ziemlich einförmig, aber je
weiter ich ging, je mehr ängstigte mich die Vorstellung von der Alten und dem kleinen Hunde; ich
dachte daran, daß er wahrscheinlich ohne meine
Hülfe verhungern müsse, im Walde glaubt ich oft,
die Alte würde mir plötzlich entgegentreten. So
legte ich unter Tränen und Seufzern den Weg
zurück; sooft ich ruhte, und den Käfig auf den
Boden stellte, sang der Vogel sein wunderliches
Lied, und ich erinnerte mich dabei recht lebhaft des
schönen verlassenen Aufenthalts. Wie die menschliche Natur vergeßlich ist, so glaubt ich jetzt, meine
vormalige Reise in der Kindheit sei nicht so trüb-
selig gewesen als meine jetzige; ich wünschte wieder
in derselben Lage zu sein.

Ich hatte einige Edelsteine verkauft und kam nun
nach einer Wanderschaft von vielen Tagen in einem
Dorfe an. Schon beim Eintritt ward mir wundersam
zumute, ich erschrak und wußte nicht worüber;
aber bald erkannt ich mich, denn es war dasselbe
Dorf, in welchem ich geboren war. Wie ward ich
überrascht! Wie liefen mir vor Freuden, wegen
tausend seltsamer Erinnerungen, die Tränen von
den Wangen! Vieles war verändert, es waren neue
Häuser entstanden,

« J'avais déjà franchi les montagnes et traversé des bois lorsque le soir tomba ; je dus entrer dans un village. Je fus fort gauche lorsque je pénétrai dans l'auberge, on m'indiqua une chambre et je dormis assez paisiblement ; mais en rêve je vis la vieille qui me menaçait.

« Mon voyage fut assez monotone, mais plus j'avançais et plus m'angoissait le souvenir de la vieille et du petit chien ; je pensais que, privé de mon aide, il mourrait de faim ; et souvent, dans la forêt, j'avais l'impression que la vieille allait se dresser soudain devant moi. Je m'en allais ainsi, pleurant et soupirant ; chaque fois que je m'arrêtais et posais la cage à terre, l'oiseau chantait sa merveilleuse chanson, et alors je me rappelais bien vivement le beau séjour que j'avais quitté. La nature humaine est bien oublieuse : je m'imaginais que mon voyage de jadis, dans mon enfance, avait été moins triste que celui-ci, et je désirais me retrouver dans la même situation.

« J'avais vendu quelques pierres précieuses et, après bien des jours de vagabondage, je parvins à un nouveau village. Dès les premières maisons, j'éprouvai un étrange sentiment, j'avais peur sans savoir de quoi ; mais bientôt je me reconnus, c'était le village même où j'étais née. Quelle fut ma joie ! Des larmes émues ruisselaient sur mes joues, tandis que revivaient mille souvenirs étranges. Bien des choses avaient changé : on avait bâti des maisons neuves ;

andre, die man damals erst errichtet hatte, waren
jetzt verfallen, ich traf auch Brandstellen; alles war
weit kleiner, gedrängter als ich erwartet hatte.
Unendlich freute ich mich darauf, meine Eltern
nun nach so manchen Jahren wiederzusehn; ich
fand das kleine Haus, die wohlbekannte Schwelle,
der Griff der Tür war noch ganz so wie damals, es
war mir, als hätte ich sie nur gestern angelehnt;
mein Herz klopfte ungestüm, ich öffnete sie hastig
— aber ganz fremde Gesichter saßen in der Stube
umher und stierten mich an. Ich fragte nach dem
Schäfer Martin, und man sagte mir, er sei schon
seit drei Jahren mit seiner Frau gestorben. — Ich
trat schnell zurück, und ging laut weinend aus dem
Dorfe hinaus.

Ich hatte es mir so schön gedacht, sie mit meinem
Reichtume zu überraschen; durch den seltsamsten
Zufall war das nun wirklich geworden, was ich in
der Kindheit immer nur träumte — und jetzt war
alles umsonst, sie konnten sich nicht mit mir freuen,
und das, worauf ich am meisten immer im Leben
gehofft hatte, war für mich auf ewig verloren.

In einer angenehmen Stadt mietete ich mir ein
kleines Haus mit einem Garten, und nahm eine
Aufwärterin zu mir. So wunderbar, als ich es vermutet hatte, kam mir die Welt nicht vor, aber ich
vergaß die Alte und meinen ehemaligen Aufenthalt etwas mehr, und so lebt ich im ganzen recht
zufrieden.

Der Vogel hatte schon seit lange nicht mehr
gesungen; ich erschrak daher nicht wenig,

d'autres, que l'on venait tout juste de construire dans mon enfance, étaient déjà en ruine ; ici et là, je vis des pierres calcinées par l'incendie ; tout était plus exigu, plus resserré que je ne m'y attendais. Je me sentais infiniment heureuse à la pensée de revoir enfin mes parents après tant d'années ; je trouvai la maisonnette, le seuil familier, le pêne de la porte était tel que jadis, j'eus l'impression de l'avoir fermée derrière moi la veille seulement ; mon cœur battait sauvagement, je poussai vite la porte... mais des étrangers étaient assis dans la chambre et leurs visages inconnus se tournèrent, surpris, vers moi. Je demandai où était Martin, le berger ; et on me répondit qu'il était mort, ainsi que sa femme, depuis trois ans. Je me retirai vivement et quittai le village en pleurant.

« Je m'étais fait une si belle image du jour où je viendrais les surprendre avec mes trésors. Le plus merveilleux hasard avait réalisé enfin ce qui avait été le rêve incessant de mon enfance... et voici que tout était en vain, ils ne pouvaient plus partager ma joie, et la plus belle espérance de toute ma vie s'évanouissait à jamais.

« Je m'arrêtai dans une jolie ville où je louai une maisonnette avec un jardin, et je pris une servante. Le monde ne me paraissait pas aussi merveilleux que je me l'étais dépeint ; mais le souvenir de la vieille et de sa chaumière s'atténua peu à peu, et au fond je me sentais assez heureuse.

« Il y avait longtemps déjà que l'oiseau n'avait plus chanté ; aussi fus-je fort effrayée,

als er in einer Nacht plötzlich wieder anfing, und
zwar mit einem veränderten Liede. Er sang :

> *Waldeinsamkeit*
> *Wie liegst du weit!*
> *O dich gereut*
> *Einst mit der Zeit. —*
> *Ach einzge Freud*
> *Waldeinsamkeit!*

Ich konnte die Nacht hindurch nicht schlafen,
alles fiel mir von neuem in die Gedanken, und mehr
als jemals fühlt ich, daß ich Unrecht getan hatte. Als
ich aufstand, war mir der Anblick des Vogels
ordentlich zuwider, er sah immer nach mir hin, und
seine Gegenwart ängstigte mich. Er hörte nun mit
seinem Liede gar nicht wieder auf, und er sang es
lauter und schallender, als er es sonst gewohnt
gewesen war. Je mehr ich ihn betrachtete, je bänger
machte er mich; ich öffnete endlich den Käfig,
steckte die Hand hinein und faßte seinen Hals,
herzhaft drückte ich die Finger zusammen, er sah
mich bittend an, ich ließ los, aber er war schon
gestorben. — Ich begrub ihn im Garten.

Jetzt wandelte mich oft eine Furcht vor meiner
Aufwärterin an, ich dachte an mich selbst zurück,
und glaubte, daß sie mich auch einst berauben oder
wohl gar ermorden könne. — Schon lange kannt
ich einen jungen Ritter, der mir überaus gefiel, ich
gab ihm meine Hand — und hiermit, Herr Walther,
ist meine Geschichte geendigt.«

lorsqu'une nuit il recommença soudain, modifiant sa chanson :

> *Retraite des bois,*
> *Las ! si loin de moi !*
> *Mais viendra le jour*
> *Des regrets pour toi.*
> *Oh, mon seul amour,*
> *Retraite des bois.*

« Toute la nuit, je ne pus dormir, tout me revint à l'esprit, et plus que jamais je sentis que j'avais mal agi. Lorsque je me levai, la vue de l'oiseau me fut fort pénible ; il ne me quittait pas des yeux, et sa présence m'emplissait d'angoisse. Il ne cessait plus, maintenant, de chanter, d'une voix plus forte et plus stridente qu'autrefois. Plus je le regardais, et plus je prenais peur ; j'ouvris enfin la porte de la cage, j'y passai la main, saisis l'oiseau à la gorge et serrai de toutes mes forces ; il me regarda d'un air suppliant, je desserrai mon étreinte, mais il était déjà mort. Je l'enterrai au jardin.

« Souvent, dès lors, un frisson me prenait, j'avais peur de ma servante et, faisant un retour sur moi-même, je songeais qu'elle pourrait bien un jour me dévaliser ou même m'assassiner. Il y avait longtemps déjà que je connaissais un jeune chevalier, qui me plaisait fort, je lui accordai ma main... et c'est là, Monsieur Walther, la fin de mon histoire.

»Ihr hättet sie damals sehn sollen«, fiel Eckbert hastig ein, »ihre Jugend, ihre Schönheit, und welch einen unbeschreiblichen Reiz ihr ihre einsame Erziehung gegeben hatte. Sie kam mir vor wie ein Wunder, und ich liebte sie ganz über alles Maß. Ich hatte kein Vermögen, aber durch ihre Liebe kam ich in diesen Wohlstand, wir zogen hieher, und unsere Verbindung hat uns bis jetzt noch keinen Augenblick gereut.«

»Aber über unser Schwatzen«, fing Bertha wieder an, »ist es schon tief in die Nacht geworden — wir wollen uns schlafen legen.«

Sie stand auf und ging nach ihrer Kammer. Walther wünschte ihr mit einem Handkusse eine gute Nacht, und sagte : »Edle Frau, ich danke Euch, ich kann mir Euch recht vorstellen, mit dem seltsamen Vogel, und wie Ihr den kleinen *Strohmian* füttert.«

Auch Walther legte sich schlafen, nur Eckbert ging noch unruhig im Saale auf und ab. — »Ist der Mensch nicht ein Tor?« fing er endlich an; »ich bin erst die Veranlassung, daß meine Frau ihre Geschichte erzählt, und jetzt gereut mich diese Vertraulichkeit! — Wird er sie nicht mißbrauchen? Wird er sie nicht andern mitteilen? Wird er nicht vielleicht, denn das ist die Natur des Menschen, eine unselige Habsucht nach unsern Edelgesteinen empfinden, und deswegen Plane anlegen und sich verstellen?«

Es fiel ihm ein, daß Walther nicht so herzlich von ihm Abschied genommen hatte, als es nach einer solchen Vertraulichkeit wohl natürlich gewesen wäre.

— Vous eussiez dû la voir alors, dit Eckbert à peine elle se tut, voir sa jeunesse, sa beauté, le charme inexplicable que lui avait donné son éducation solitaire. Elle me fit l'effet d'un être surnaturel et je l'aimai au-delà de toute expression. J'étais sans fortune, mais son amour me donna l'aisance que j'ai aujourd'hui, nous vînmes nous fixer ici, et depuis lors, nous ne nous sommes pas repentis un instant d'avoir uni nos deux existences.

— Mais tandis que nous bavardions, reprit Bertha, la nuit s'est fort avancée ; allons dormir. »

Elle se leva et gagna sa chambre. Walther lui souhaita la bonne nuit en lui baisant la main et dit : « Noble amie, je vous remercie ; je vous vois fort bien avec l'étrange oiseau ou occupée à nourrir le petit *Strohmian*. »

Walther aussi alla se coucher, et Eckbert resta seul à arpenter la salle, plongé dans d'inquiètes pensées. « L'homme est bien fol, se disait-il. C'est moi qui ai invité ma femme à raconter son histoire, et maintenant je regrette cette confidence. N'en fera-t-il pas mauvais usage ? Ne la répétera-t-il à personne ? Ne sera-t-il pas envahi, car telle est la nature humaine, d'une funeste convoitise pour nos pierreries ? Ne va-t-il pas comploter quelque entreprise et nous duper ? »

Il se souvint que Walther n'avait pas pris congé de lui avec le geste affectueux qui semblait naturel après ces confidences.

Wenn die Seele erst einmal zum Argwohn gespannt ist, so trifft sie auch in allen Kleinigkeiten Bestätigungen an. Dann warf sich Eckbert wieder sein unedles Mißtrauen gegen seinen wackern Freund vor, und konnte doch nicht davon zurückkehren. Er schlug sich die ganze Nacht mit diesen Vorstellungen herum, und schlief nur wenig.

Bertha war krank und konnte nicht zum Frühstück erscheinen; Walther schien sich nicht viel darum zu kümmern, und verließ auch den Ritter ziemlich gleichgültig. Eckbert konnte sein Betragen nicht begreifen; er besuchte seine Gattin, sie lag in einer Fieberhitze und sagte, die Erzählung in der Nacht müsse sie auf diese Art gespannt haben.

Seit diesem Abend besuchte Walther nur selten die Burg seines Freundes, und wenn er auch kam, ging er nach einigen unbedeutenden Worten wieder weg. Eckbert ward durch dieses Betragen im äußersten Grade gepeinigt; er ließ sich zwar gegen Bertha und Walther nichts davon merken, aber jeder mußte doch seine innerliche Unruhe an ihm gewahr werden.

Mit Berthas Krankheit ward es immer bedenklicher; der Arzt ward ängstlich, die Röte von ihren Wangen war verschwunden, und ihre Augen wurden immer glühender. — An einem Morgen ließ sie ihren Mann an ihr Bette rufen, die Mägde mußten sich entfernen.

»Lieber Mann«, fing sie an, »ich muß dir etwas entdecken, das mich fast um meinen Verstand gebracht hat, das meine Gesundheit zerrüttet,

Dès que l'âme est tendue par le soupçon, elle y trouve des confirmations dans les moindres détails. Puis Eckbert se reprochait sa basse méfiance envers le meilleur des amis, et pourtant, il ne pouvait se défaire de ce sentiment. Il se tourmenta de ces pensées toute la nuit et dormit peu.

Bertha, malade, ne put paraître au petit déjeuner ; Walther ne sembla guère y prendre garde et quitta son ami d'un air assez indifférent. Eckbert ne pouvait s'expliquer cette conduite ; il se rendit chez sa femme qu'il trouva en proie à un accès de fièvre ; elle lui dit que c'était sans doute la suite de la tension nerveuse provoquée par son récit nocturne.

À partir de ce soir-là, Walther ne vint plus que rarement au manoir ; et il en repartait toujours après quelques paroles insignifiantes. Eckbert était profondément affecté de cette attitude ; il n'en laissa rien voir devant Bertha et Walther, mais il était impossible de ne pas remarquer dans tout son maintien sa secrète inquiétude.

La maladie de Bertha ne faisait que s'aggraver ; le médecin était peu rassurant, les joues de la jeune femme avaient perdu leur éclat, et ses yeux devenaient chaque jour plus luisants. Un matin, elle fit appeler son mari auprès de son lit, et commanda aux servantes de se retirer.

« Mon cher époux, dit-elle, il faut te révéler quelque chose qui a failli me faire perdre la raison et qui a ébranlé ma santé,

so eine unbedeutende Kleinigkeit es auch an sich
scheinen möchte. — Du weißt, daß ich mich immer
nicht, sooft ich von meiner Kindheit sprach, trotz
aller angewandten Mühe auf den Namen des
kleinen Hundes besinnen konnte, mit welchem
ich so lange umging; an jenem Abend sagte
Walther beim Abschiede plötzlich zu mir : ›Ich
kann mir Euch recht vorstellen, wie Ihr den kleinen *Strohmian* füttert.‹ Ist das Zufall? Hat er den
Namen erraten, weiß er ihn und hat er ihn mit Vor-
satz genannt? Und wie hängt dieser Mensch dann
mit meinem Schicksale zusammen? Zuweilen
kämpfe ich mit mir, als ob ich mir diese Seltsamkeit
nur einbilde, aber es ist gewiß, nur zu gewiß. Ein
gewaltiges Entsetzen befiel mich, als mir ein fremder Mensch so zu meinen Erinnerungen half. Was
sagst du, Eckbert?«

Eckbert sah seine leidende Gattin mit einem
tiefen Gefühle an; er schwieg und dachte bei sich
nach, dann sagte er ihr einige tröstende Worte und
verließ sie. In einem abgelegenen Gemache ging er
in unbeschreiblicher Unruhe auf und ab. Walther
war seit vielen Jahren sein einziger Umgang
gewesen, und doch war dieser Mensch jetzt der
einzige in der Welt, dessen Dasein ihn drückte und
peinigte. Es schien ihm, als würde ihm froh und
leicht sein, wenn nur dieses einzige Wesen aus
seinem Wege gerückt werden könnte. Er nahm seine
Armbrust, um sich zu zerstreuen und auf die Jagd
zu gehn.

Es war ein rauher stürmischer Wintertag,

bien qu'au fond cela ait l'air d'une insignifiante bagatelle... Tu sais que, toutes les fois que je parlais de mon enfance, je m'efforçais en vain de me rappeler le nom du petit chien qui fut si longtemps mon compagnon ; or, l'autre soir, Walther me dit soudain en prenant congé : "Je vous vois fort bien avec l'étrange oiseau, ou occupée à nourrir le petit *Strohmian*." Est-ce un hasard ? A-t-il deviné le nom ? Le sait-il et l'a-t-il prononcé intentionnellement ? Et alors, quel rapport y a-t-il entre cet homme et mon destin ? Parfois, je me livre un combat à moi-même, je tente de me persuader que ce fait étrange est né de mon imagination ; mais non, ce n'est que trop réel. Je fus saisie d'une profonde terreur, lorsqu'un étranger vint au secours de ma mémoire. Qu'en penses-tu, Eckbert ? »

Eckbert regardait sa femme avec une grande émotion, muet et pensif ; puis il lui adressa quelques paroles de consolation et la quitta. Dans une chambre écartée, il se mit à marcher de long en large avec une indicible agitation. Depuis des années, Walther était le seul être humain qu'il fréquentât, et voici que maintenant c'était l'unique homme au monde dont l'existence lui causât du malaise et du tourment. Il lui sembla que la vie lui serait légère et gaie, si seulement il pouvait écarter de sa route ce seul être. Pour se distraire de ces pensées, il décrocha son arbalète et s'en fut chasser.

C'était par une rude journée d'hiver,

tiefer Schnee lag auf den Bergen und bog die Zweige der Bäume nieder. Er streifte umher, der Schweiß stand ihm auf der Stirne, er traf auf kein Wild, und das vermehrte seinen Unmut. Plötzlich sah er sich etwas in der Ferne bewegen, es war Walther, der Moos von den Bäumen sammelte; ohne zu wissen was er tat, legte er an, Walther sah sich um, und drohte mit einer stummen Gebärde, aber indem flog der Bolzen ab, und Walther stürzte nieder.

Eckbert fühlte sich leicht und beruhigt, und doch trieb ihn ein Schauder nach seiner Burg zurück; er hatte einen großen Weg zu machen, denn er war weit hinein in die Wälder verirrt. Als er ankam, war Bertha schon gestorben; sie hatte vor ihrem Tode noch viel von Walther und der Alten gesprochen.

Eckbert lebte nun eine lange Zeit in der größten Einsamkeit; er war schon sonst immer schwermütig gewesen, weil ihn die seltsame Geschichte seiner Gattin beunruhigte, und er irgendeinen unglücklichen Vorfall, der sich ereignen könnte, befürchtete: aber jetzt war er ganz mit sich zerfallen. Die Ermordung seines Freundes stand ihm unaufhörlich vor Augen, er lebte unter ewigen innern Vorwürfen.

Um sich zu zerstreuen, begab er sich zuweilen nach der nächsten großen Stadt, wo er Gesellschaften und Feste besuchte. Er wünschte durch irgendeinen Freund die Leere in seiner Seele auszufüllen, und wenn er dann wieder an Walther zurückdachte, so erschrak er vor dem Gedanken, einen Freund zu finden,

le vent soufflait en rafales, une épaisse couche de neige couvrait les montagnes et faisait ployer les branches des arbres. Eckbert battit le pays, la sueur perlait à son front et il ne rencontrait pas de gibier ; son irritation ne faisait que croître. Soudain, il vit quelque chose bouger au loin et reconnut Walther qui recueillait la mousse des arbres ; sans savoir ce qu'il faisait, il épaula, Walther se retourna et fit un geste de muette menace, mais au même instant le trait partit et Walther roula à terre.

Eckbert se sentit allégé, calmé, et pourtant, un sentiment d'effroi lui fit presser le pas vers son manoir ; il dut marcher longtemps, car il s'était aventuré fort loin dans la forêt... Lorsqu'il arriva, Bertha était morte ; avant d'expirer, elle avait beaucoup parlé encore de Walther et de la vieille.

Eckbert vécut longtemps dans la plus grande solitude ; auparavant déjà, il avait toujours été mélancolique, car l'histoire de sa femme lui inspirait une incessante inquiétude, et il redoutait toujours que ne survînt quelque malheur ; mais maintenant, il était comme brouillé avec lui-même. Le meurtre de son ami lui était sans cesse présent à l'esprit et il était torturé de remords éternels.

Pour se distraire, il se rendait parfois à la grande ville voisine où il fréquentait des soirées et des fêtes. Il désirait trouver un ami qui pût combler le vide de son âme, mais lorsqu'il se souvenait de Walther, il reculait d'effroi devant l'idée d'avoir un ami ;

denn er war überzeugt, daß er nur unglücklich mit jedwedem Freunde sein könne. Er hatte so lange mit Bertha in einer schönen Ruhe gelebt, die Freundschaft Walthers hatte ihn so manches Jahr hindurch beglückt, und jetzt waren beide so plötzlich dahingerafft, daß ihm sein Leben in manchen Augenblicken mehr wie ein seltsames Märchen, als wie ein wirklicher Lebenslauf erschien.

Ein junger Ritter, Hugo, schloß sich an den stillen betrübten Eckbert, und schien eine wahrhafte Zuneigung gegen ihn zu empfinden. Eckbert fand sich auf eine wunderbare Art überrascht, er kam der Freundschaft des Ritters um so schneller entgegen, je weniger er sie vermutet hatte. Beide waren nun häufig beisammen, der Fremde erzeigte Eckbert alle möglichen Gefälligkeiten, einer ritt fast nicht mehr ohne den andern aus; in allen Gesellschaften trafen sie sich, kurz, sie schienen unzertrennlich.

Eckbert war immer nur auf kurze Augenblicke froh, denn er fühlte es deutlich, daß ihn Hugo nur aus einem Irrtume liebe; jener kannte ihn nicht, wußte seine Geschichte nicht, und er fühlte wieder denselben Drang, sich ihm ganz mitzuteilen, damit er versichert sein könne, ob jener auch wahrhaft sein Freund sei. Dann hielten ihn wieder Bedenklichkeiten und die Furcht, verabscheut zu werden, zurück. In manchen Stunden war er so sehr von seiner Nichtswürdigkeit überzeugt, daß er glaubte, kein Mensch, für den er nicht ein völliger Fremdling sei, könne ihn seiner Achtung würdigen.

car il était persuadé qu'auprès de n'importe lequel il ne pouvait être que malheureux. Il avait vécu si longtemps avec Bertha dans une magnifique paix, l'amitié de Walther l'avait comblé durant tant d'années et ces deux êtres chers lui avaient été enlevés si brutalement que, bien souvent, sa vie lui paraissait être plutôt un conte fabuleux qu'une existence réelle.

Un jeune chevalier, Hugo, s'attacha au triste et muet Eckbert, vers lequel semblait l'attirer une sincère sympathie. Ce fut pour Eckbert une merveilleuse surprise, et il répondit d'autant plus vite à l'amitié du chevalier qu'il s'y était moins attendu Dès lors, on les vit souvent ensemble, le nouveau venu avait pour Eckbert toutes les attentions possibles ; il était rare que l'un se promenât sans l'autre, ils se retrouvaient à toutes les soirées, bref ils semblaient être devenus inséparables.

Eckbert n'était heureux que pendant de courts instants, car il sentait bien que Hugo ne l'aimait que par erreur ; son ami ne le connaissait pas, ignorait son histoire, et Eckbert ressentit de nouveau un vif désir de se confesser sans réserves pour s'assurer que le jeune homme était véritablement son ami. Mais il hésitait et la crainte d'être un objet d'horreur l'empêchait de parler. À certains moments, il avait si bien le sentiment de son indignité qu'il croyait ne pouvoir gagner l'estime de personne, à moins de cacher la vérité de sa vie.

Aber dennoch konnte er sich nicht widerstehn; auf einem einsamen Spazierritte entdeckte er seinem Freunde seine ganze Geschichte, und fragte ihn dann, ob er wohl einen Mörder lieben könne. Hugo war gerührt, und suchte ihn zu trösten; Eckbert folgte ihm mit leichterm Herzen zur Stadt.

Es schien aber seine Verdammnis zu sein, gerade in der Stunde des Vertrauens Argwohn zu schöpfen, denn kaum waren sie in den Saal getreten, als ihm beim Schein der vielen Lichter die Mienen seines Freundes nicht gefielen. Er glaubte ein hämisches Lächeln zu bemerken, es fiel ihm auf, daß er nur wenig mit ihm spreche, daß er mit den Anwesenden viel rede, und seiner gar nicht zu achten scheine. Ein alter Ritter war in der Gesellschaft, der sich immer als den Gegner Eckberts gezeigt, und sich oft nach seinem Reichtum und seiner Frau auf eine eigne Weise erkundigt hatte; zu diesem gesellte sich Hugo, und beide sprachen eine Zeitlang heimlich, indem sie nach Eckbert hindeuteten. Dieser sah jetzt seinen Argwohn bestätigt, er glaubte sich verraten, und eine schreckliche Wut bemeisterte sich seiner. Indem er noch immer hinstarrte, sah er plötzlich Walthers Gesicht, alle seine Mienen, die ganze, ihm so wohlbekannte Gestalt, er sah noch immer hin und ward überzeugt, daß niemand als Walther mit dem Alten spreche. Sein Entsetzen war unbeschreiblich; außer sich stürzte er hinaus, verließ noch in der Nacht die Stadt, und kehrte nach vielen Irrwegen auf seine Burg zurück.

Mais à la fin il ne put résister à son désir de fran-
chise ; au cours d'une promenade à cheval, il révéla
à son ami toute son histoire, puis lui demanda
s'il pouvait aimer un meurtrier. Hugo, très ému,
chercha à le consoler ; Eckbert le suivit jusqu'à la
ville, le cœur plus léger.

Mais il semblait condamné à concevoir des soupçons à l'instant même de la confiance ; car à peine
étaient-ils entrés dans la salle illuminée de nombreux flambeaux que l'attitude de son ami lui parut
douteuse. Il crut observer un sourire perfide, il
fut frappé de ce que Hugo lui adressait à peine la
parole, s'entretenait sans cesse avec les personnes
présentes et semblait l'avoir oublié. Il y avait là un
vieux chevalier qui s'était toujours montré hostile
à Eckbert et avait posé souvent de singulières questions sur sa fortune et sur sa femme ; Hugo s'approcha de ce vieillard et ils s'entretinrent longue-
ment à mi-voix en regardant Eckbert. Celui-ci vit ses
soupçons confirmés, se crut trahi et fut pris d'une
terrible colère. Les yeux toujours fixés sur les deux
hommes, il vit soudain le visage de Walther, tous ses
gestes, toute sa personne si familière ; il regarda
plus attentivement encore et se convainquit que
c'était bien Walther lui-même qui était en conversation avec le vieillard... Son effroi fut indicible ;
dans son égarement, il s'enfuit, quitta la ville dans
la nuit et, après de longs détours, parvint à son
manoir.

Wie ein unruhiger Geist eilte er jetzt von Gemach zu Gemach, kein Gedanke hielt ihm stand, er verfiel von entsetzlichen Vorstellungen auf noch entsetzlichere, und kein Schlaf kam in seine Augen. Oft dachte er, daß er wahnsinnig sei, und sich nur selber durch seine Einbildung alles erschaffe; dann erinnerte er sich wieder der Züge Walthers, und alles ward ihm immer mehr ein Rätsel. Er beschloß eine Reise zu machen, um seine Vorstellungen wieder zu ordnen; den Gedanken an Freundschaft, den Wunsch nach Umgang hatte er nun auf ewig aufgegeben.

Er zog fort, ohne sich einen bestimmten Weg vorzusetzen, ja er betrachtete die Gegenden nur wenig, die vor ihm lagen. Als er im stärksten Trabe seines Pferdes einige Tage so fortgeeilt war, sah er sich plötzlich in einem Gewinde von Felsen verirrt, in denen sich nirgend ein Ausweg entdecken ließ. Endlich traf er auf einen alten Bauer, der ihm einen Pfad, einem Wasserfall vorüber, zeigte : er wollte ihm zur Danksagung einige Münzen geben, der Bauer aber schlug sie aus. — »Was gilt's«, sagte Eckbert zu sich selber, »ich könnte mir wieder einbilden, daß dies niemand anders als Walther sei.« — Und indem sah er sich noch einmal um, und es war niemand anders als Walther. — Eckbert spornte sein Roß so schnell es nur laufen konnte, durch Wiesen und Wälder, bis es erschöpft unter ihm zusammenstürzte. — Unbekümmert darüber setzte er nun seine Reise zu Fuß fort.

Er stieg träumend einen Hügel hinan;

Il errait maintenant comme un esprit inquiet d'une chambre à l'autre, incapable de s'arrêter à une pensée ; à des imaginations effroyables en succédaient d'autres, plus effroyables encore, et ses yeux ne connurent plus le sommeil. Souvent il se disait qu'il était fou et que son esprit trop fertile était la seule cause de ses tourments ; puis les traits de Walther lui revenaient à la mémoire, et l'énigme se faisait plus impénétrable encore. Il résolut de faire un voyage pour mettre de l'ordre dans ses idées ; à jamais il avait renoncé à souhaiter une amitié ou un commerce humain.

Il s'en alla sans se proposer une route précise et il prêta peu d'attention aux contrées qu'il traversait. Au bout de quelques jours passés à galoper ainsi au hasard, il se trouva soudain égaré dans un labyrinthe de rochers auquel il ne voyait point d'issue. Il finit par rencontrer un paysan qui lui indiqua un sentier auprès d'une cascade ; il voulut lui donner quelque monnaie, mais le paysan refusa. « Gageons-le, se dit Eckbert, je vais encore croire que cet homme est Walther lui-même. » Il se retourna : c'était Walther. Eckbert éperonna son cheval et le lança au grand galop à travers prés et bois jusqu'à ce que la bête, épuisée, s'écroulât sous lui. Sans se soucier de cette perte, il poursuivit sa route à pied.

Il gravit, pensif, le flanc d'une colline ;

es war, als wenn er ein nahes munteres Bellen vernahm, Birken säuselten dazwischen, und er hörte mit wunderlichen Tönen ein Lied singen :

> *Waldeinsamkeit*
> *Mich wieder freut,*
> *Mir geschieht kein Leid,*
> *Hier wohnt kein Neid,*
> *Von neuem mich freut*
> *Waldeinsamkeit.*

Jetzt war es um das Bewußtsein, um die Sinne Eckberts geschehn; er konnte sich nicht aus dem Rätsel herausfinden, ob er jetzt träume, oder ehemals von einem Weibe Bertha geträumt habe; das Wunderbarste vermischte sich mit dem Gewöhnlichsten, die Welt um ihn her war verzaubert, und er keines Gedankens, keiner Erinnerung mächtig.

Eine krummgebückte Alte schlich hustend mit einer Krücke den Hügel heran.

»Bringst du mir meinen Vogel? Meine Perlen? Meinen Hund?« schrie sie ihm entgegen. »Siehe, das Unrecht bestraft sich selbst : Niemand als ich war dein Freund Walther, dein Hugo.«

»Gott im Himmel !« sagte Eckbert stille vor sich hin — »in welcher entsetzlichen Einsamkeit hab ich dann mein Leben hingebracht ! »

»Und Bertha war deine Schwester.«

Eckbert fiel zu Boden.

»Warum verließ sie mich tückisch? Sonst hätte sich alles gut und schön geendet,

il crut entendre, tout proche, un jappement joyeux,
le vent murmurant dans les feuillages des bouleaux,
et une chanson aux accents singuliers :

> *Retraite des bois,*
> *Renaît mon amour.*
> *Plus de triste émoi,*
> *Plus d'envieuses voix.*
> *Ma joie, mes amours,*
> *Retraite des bois.*

Eckbert perdit aussitôt toute conscience claire,
toute sensation précise ; il ne pouvait résoudre
l'énigme, savoir s'il rêvait maintenant ou bien si
jadis il avait rêvé d'une femme nommée Bertha : les
choses les plus merveilleuses se mêlaient aux plus
quotidiennes, le monde environnant était ensor-
celé, toute pensée, tout souvenir lui échappaient.

Une vieille bossue se traîna vers lui en toussant,
appuyée sur une béquille.

« Me rapportes-tu mon oiseau ? mes perles ? mon
chien ? lui cria-t-elle. Tu vois bien, le mal a en lui-
même son châtiment ; ton ami Walther, ton cher
Hugo n'étaient autres que moi-même.

— Dieu du ciel ! murmura Eckbert à part lui ;
dans quelle effroyable solitude ai-je passé ma vie !

— Et Bertha était ta sœur ! »

Eckbert tomba à terre.

« Pourquoi m'a-t-elle trahie et quittée ? Sans cela,
tout eût bien fini,

ihre Probezeit war ja schon vorüber. Sie war die
Tochter eines Ritters, die er bei einem Hirten
erziehn ließ, die Tochter deines Vaters.«

»Warum hab ich diesen schrecklichen Gedanken
immer geahnt?« rief Eckbert aus.

»Weil du in früher Jugend deinen Vater einst
davon erzählen hörtest; er durfte seiner Frau wegen
diese Tochter nicht bei sich erziehn lassen, denn sie
war von einem andern Weibe.«

Eckbert lag wahnsinnig und verscheidend auf
dem Boden; dumpf und verworren hörte er die Alte
sprechen, den Hund bellen, und den Vogel sein
Lied wiederholen.

son temps d'épreuve était passé. Elle était la fille d'un chevalier qui la faisait élever chez un pâtre, la fille de ton père.

— Pourquoi ai-je toujours été effleuré de cette odieuse pensée ? s'écria Eckbert.

— Parce qu'un jour, dans ta toute petite enfance, tu entendis ton père en parler ; à cause de son épouse, il ne pouvait faire élever cette fille sous ses yeux, car elle était l'enfant d'une autre femme. »

Eckbert gisait à terre, hagard et agonisant ; sourdement, confusément, il percevait les paroles de la vieille, les aboiements du chien et la chanson que répétait l'oiseau.

Composition CMB Graphic,
Impression CPI Bussière
à Saint-Amand (Cher), le 2 mai 2011.
Dépôt légal : mai 2011.
Numéro d'imprimeur : 111450/1.
ISBN 978-2-07-044144-0./Imprimé en France.

178962